JN077051

図解 学問のすすめ

カラリと晴れた生き方をしよう

齋藤孝

Takashi Saito

ウェッジ

図解　学問のすすめ

カラリと晴れた生き方をしよう

まえがき ── 上機嫌に、明るく物事をとらえて生きよう

慶應義塾を創設した福澤諭吉は、すっきりとした前向きな人間でした。頭もすっきり、心もすっきり。その根底には精神の文化があります。強い精神、前に進んでいくという精神の強さがある。そして、身体も鍛えられていました。

そのうえで学問をすすめていますから、福澤諭吉の根底にある気質とかスタイルというものをよく見てほしいと思います。下を向いて鬱々としているのではなくて、「カラリと晴れた精神で、上機嫌で、明るく物事をとらえていこう」、そして「必要なことは積極的にやっていこう」という考え方です。こうした福澤諭吉の根本精神は、『学問のすすめ』にもよく表れています。

『学問のすすめ』は、学問だけでなく、人生のいろいろなことをすすめています。西洋の学問を中心にしながら、さまざまなものを取り入れて勉強し、前向きに自分を育てていく、自己形成をしていこうという姿勢です。

ですから、学問のほかにも、たとえば演説のすすめとか、交際の話とか、商売の仕方とか、人間のすることすべてが、盛り込まれているのです。

福澤諭吉は、「society＝ソサエティ」（社会）を、「交際」や「人間交際（じんかんこうさい）」と訳しています。人間は、「交際」という集団の中で生きているのだから、その中でどうやって生きていけばいいのか、を説いた本でもあります。

その生き方の中心となっているものは、「独立した精神をもて」ということです。「自分の身を独立させ、やがてこの国を独立させよう」と、自分の一身の独立と国の独立とを連動したものとしてとらえている。だから、「国を背負って立つという気概をもとう」と呼びかけているのです。

「一人であってもこの国を背負うのだ、という気概を一人ひとりがもって生きようではないか。独立の気概をもて！」という強いメッセージが込められていますので、『学問のすすめ』というタイトルだけでは、それが伝え切れないかもしれません。

これはいわば国づくりの発想です。黒船が来航し、日本はこのままでやっていけるのかを問われた時代に、武士の社会を武士自身が終わらせ、次の社会を打ち立てていった。その当時、明治5（1872）年から9年ごろにかけて、こうした本を書いて日本中を啓蒙したわけです。時代を考えると、福澤にはずいぶん早くからものの本質が見えていたのだと思います。

福澤はこのころから「英語だけではいけない、日本語をきちんと身につけ、人前で話せるよう活用すべきだ」とか、また「男女も同権であるべきだ」とか、さまざまな主張・提案をしています。男女同権どころか女性には選挙権すらないという時代が明治・大正と続きますから（女性は昭和20年の敗戦後、初めて参政権・選挙権を得ました）、福澤諭吉はかなり早い段階で社会の基本となる枠組みを作っていくよう提言し、自らも実行したのです。それはまるで戦後の改革までを見通すかのようでした。

『学問のすすめ』に込められたメッセージは、いまでも大筋において間違っていません。これはすべてを福澤が考え出したものではなく、フランシス・ウェーランド*の著書など外国の有名な著作を下敷きにしてはいます。人権思想など西洋がそれまで培ってきた文明・文化をきちんと取り入れて、それを日本に広めようとした啓蒙書なのです。しかも非常に優れた啓蒙書です。私たちがいま読んでも、現在の問題に引き寄せて考えてみると役に立つことが、たくさんあります。

福澤のいうことに私たち自身が歩みよって、彼がいまの時代にいれば、「こう感じただろう」「こんなふうに考えただろう」と想像をしながら読むのが、この本のいちばん優れた、活用的な読み方ではないかと思います。

『学問のすすめ』は当時としては簡単でわかりやすい文章なのですが、文語文なので、いまの人にとっては少し読みにくいと思います。それをわかりやすく解説しながら、その魅力を伝えることができていれば幸いに思います。

文語文であるため、格調があって調子のよい名文が多いので、引用した箇所は音読してみると、さらにみなさんの体に浸み込んでいくことでしょう。

＊Francis Wayland（1796－1865）。アメリカの牧師、教育者、経済学者。著書に19世紀の経済学に大きな影響を与えた『経済学要綱』や『修身論』などがある。これらは明治期の日本でよく読まれ、福沢諭吉の愛読書でもあった。

図解　学問のすすめ　カラリと晴れた生き方をしよう ―― 目次

第2章 「学問」とのつきあい方

第3章 「他人」とのつきあい方

第4章 「自分」とのつきあい方

＊本書で引用した『学問のすゝめ』原文は、福沢諭吉著・伊藤正雄校注『学問のすゝめ』（講談社学術文庫）、現代語訳は福沢諭吉著・齋藤孝訳の『現代語訳　学問のすすめ』（ちくま新書）に拠りました。また引用した原文が『学問のすゝめ』のどの編にあるのかを、引用文の最後の括弧内に示しています。
＊本書には、現在では不適切とされる表現が用いられている箇所がありますが、原文が書かれた時代背景などを考慮し、発表時のままとしています。

第1章

「社会」とのつきあい方

1－1

自分が独立すると、国も独立できる

「右は人間普通の実学にて、人たる者は貴賤上下（きせんじょうげ）の区別なく、みなことごとくたしなむべき心得なれば、この心得ありて後に、士農工商おのおのその分（ぶん）を尽くし、銘々（めいめい）の家業を営（いとな）み、身も独立し、家も独立し、天下国家も独立すべきなり。」（初編）

現代語訳

こういった学問は、人間にとって当たり前の実学であり、身分の上下なく、みながが身につけるべきものである。この心得があったうえで、士農工商それぞれの自分の責務を尽くしていくというのが大事だ。そのようにしてこそ、それぞれの家業を営んで、個人的に独立し、家も独立し、国家も独立することができるだろう。

世の中の役に立つ学問を勉強して自分が独立すると、家も、国も独立できる

福澤諭吉は、地理学や物理学、歴史学、経済学のように、世の中の役に立つ学問を「実学」といっています。そして、こうした実学は文学のようなものと違って、すぐに実用になると見ているのです。

身分の上下に関係なく、みんなが実学を学んでいき、それぞれ自分の仕事をもって社会に貢

献していく。仕事をしていると自分の身も独立できるし、家も家族も養っていける。その結果、天下国家も安定して独立してくる。この3点のつながりが大事なのです。国が独立しているから一人ひとりが独立する、という順番ではありません。

これが福澤諭吉の目指しているところなのです。そのためには、**国家のシステムだけを変えればすむのではなく、一人ひとりの独立の気概、覚悟が重要となってきます。**

国から何かしてもらおうとは思わないで自分が世の中に対して何ができるかを考えよう

明治時代は近代国家が生まれ育っていく時代なので、この国に対して何ができるだろう、とみんなが考えるような機運があったのですね。『学問のすすめ』を読んだ当時の人たちは、「学ぶということで独立できるのだ」「独立心をもたなければ」と、たいへん刺激を受けたのだと思います。

J・F・ケネディ（1917－1963）の有名な言葉に、「国があなたのために何ができるかではなく、あなたが国のために何ができるのかを問うてほしい」というものがあります

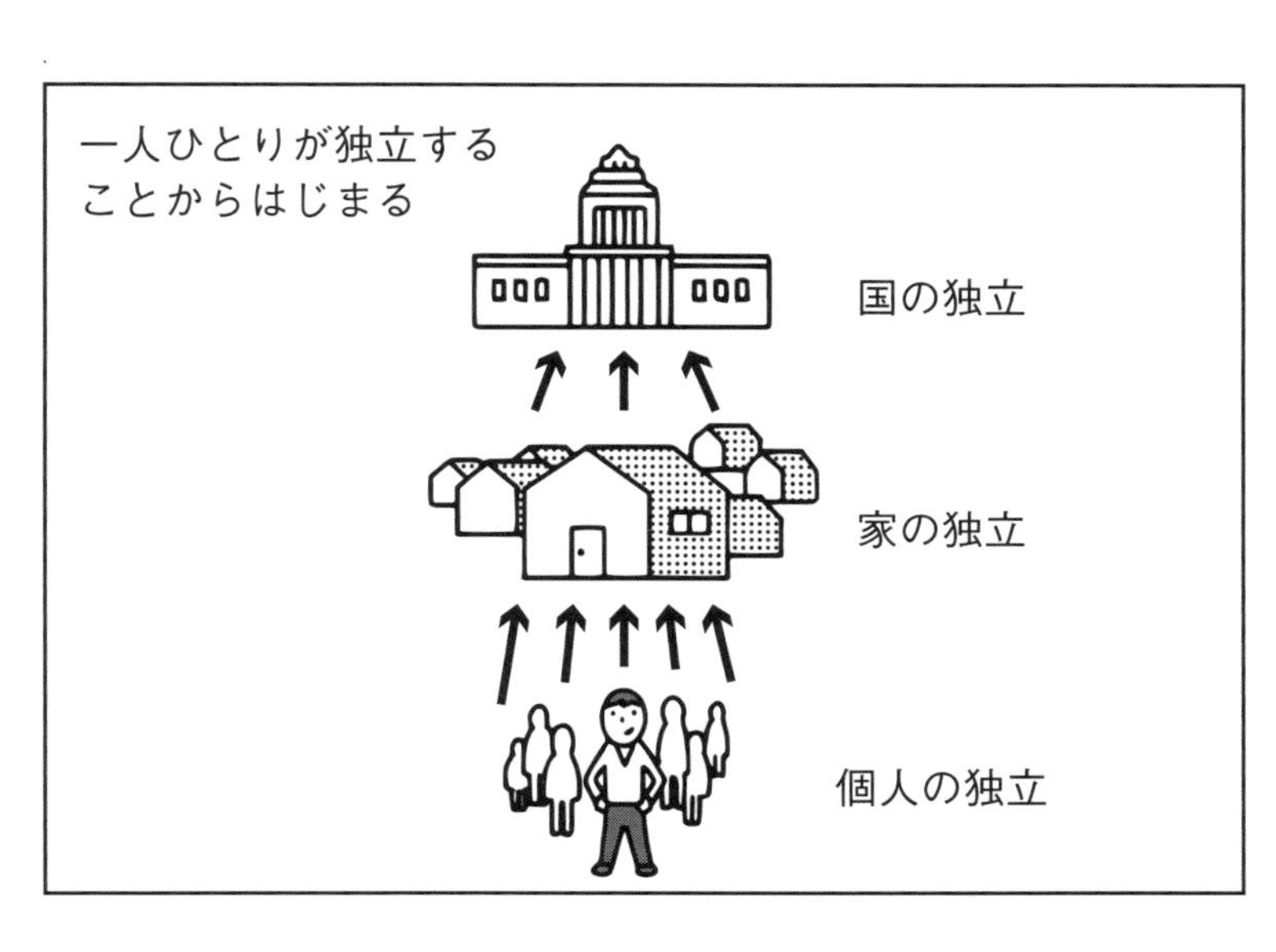

（1961年のアメリカ大統領就任演説）。同じように、自分が所属している組織、会社や国に対して、どんな貢献ができるだろうか。それを問うことが独立の気概なのですね。

政治や経済の分野だけでなく、文化的な貢献というものもあります。たとえばいま俳句がたいへん流行っています。テレビ番組の『プレバト!!』にも俳句タイトル戦がありますし、俳句をやっている人が全国にいる。その人たちは日本の文化である俳句を背負って、世の中に広めて、次の世代につなげる役割を果たしている。**こうした文化を通じた貢献も、国の独立ということに非常に関係が深いのです。**日本のプレゼンス、存在感というものにつながっていくと思うのです。

1－2

道理のある国とは交わり、道理のない国は打ち払う

「わが日本国人も今より学問に志し、気力を慥(たし)かにして、まづ一身の独立を謀(はか)り、したがつて一国の富強を致(いた)すことあらば、なんぞ西洋人の力を恐るるに足らん。道理あるものはこれに交はり、道理なきものはこれを打ち払はんのみ。一身独立して一国独立するとはこの事なり。」（第三編）

現代語訳

わが日本国民も、いまから学問に志し、しっかりと気力をもって、まずは一身の独立を目指し、それによって一国を豊かに強くすることができれば、西洋人の力などは恐れるに足りない。道理がある相手とは交際し、道理がない相手はこれを打ち払うまでのこと。一身独立して一国独立する、とはこのことをいうのだ。

人間一人ひとりがもつ権利は、国々がそれぞれもつ権利と同じだ

道理のある国に対しては、ちゃんと外交をして交わるが、道理のない国に対しては、これを打ち払う。これは国と国との関係の話です。学問を学んで一身が独立し、一国が独立するとはこういうことなのです。当たり前のことですが、実は、「いまの日本でこのことがきちんとできているか」、それが問われています。

この文章はアメリカの学者、フランシス・ウェーランドの『修身論』に基づいていますが、人間の個人々々の人権思想を、国に引き寄せて述べているわけです。

自分の国は、外国に守ってもらうのではなく、自分で守らなければいけない

「自ら顧みてなおくんば、千万人といえども我行かん」。これは『孟子』の言葉で、**自分が正しいと思うのであれば、千万の人が反対しようとも私は行こう**、という意味です。

日本は敗戦とともにダメージを受けてしまったので、こうした独立の気力は、なかなかもちづらい時代もあったと思います。また日米安全保障条約があり、それが機能を果たしてもきましたし、今後も大切なものだとは思います。

しかし、「日本は誰かが守ってくれるだろう」などと思うのは、ちょっと筋違いでしょう。日本人が体を張って守らないものを、どうしてアメリカ人が守ってくれるでしょうか。少し虫がよすぎますね。アメリカのする戦争に日本人が体を張っているわけでもありませんし。

1960年の日米安全保障条約、いわゆる新安保条約を結んだ当時の首相、岸信介（きしのぶすけ）（189

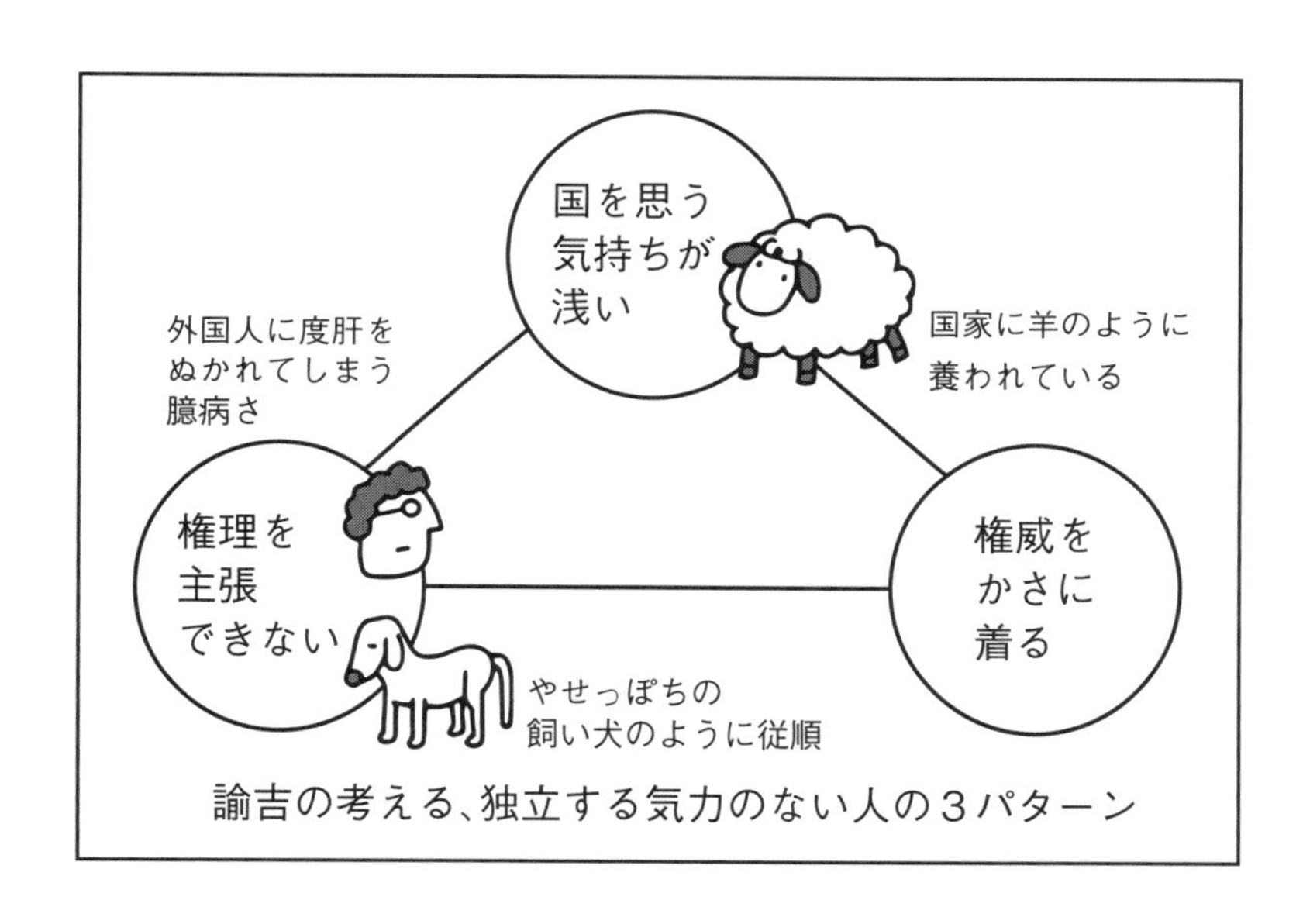

6―1987）の胆力というか判断それ自体は、これまでの長い平和の時代を見ると、価値のあるものだといえるでしょう。そうしたことを認めたうえで、いま福澤諭吉がこの日本に生きていたとすると、やはり「独立するという気力をもて」というのではないでしょうか。

アメリカの大統領がトランプからバイデンに代わって、はたして尖閣諸島を守ってくれるか、それを気にするのは当然かもしれませんが、アメリカの大統領の意向次第となってしまうと、それは違うでしょう。

もちろん、むやみに好戦的になることではなく、守るべきものを守るという気概です。

1－3

日本も外国も人民は同じ、恐れてはいけない

「日本とても西洋諸国とても、同じ天地の間にありて、同じ日輪に照らされ、同じ月を眺め、海を共にし、空気を共にし、情合ひ相同じき人民なれば（……）恥づることもなく誇ることもなく、互ひに便利を達し、互ひにその幸ひを祈り、天理人道に従って互ひの交はりを結び（……）国の恥辱とありては、日本国中の人民一人も残らず命を棄てて国の威光を落とさざるこそ、一国の自由独立と申すべきなり。」（初編）

現代語訳

日本といっても、西洋諸国といっても、同じ天地の間にあり、同じ太陽に照らされ、同じ月を眺めて、海を共にし、空気を共にし、人情が同じように通い合う人間同士である。……恥じることもいばることもない。お互いに便利がいいようにし、お互いの幸福を祈る。天が定めた自由平等の原理に従って交わり、……国がはずかしめられるときには、日本国中のみなが命を投げ出しても国の威厳を保とうとする。これが一国の自由独立ということなのだ。

外国の人たちだって、同じ地球の上に住んで、同じ空気を吸っているのだから、互いに理解し合える

西洋諸国といっても同じ地球の上にいて、同じ太陽や月を見て、海を共にし、空気を共にしているわけで、いってみれば、お互いに理解し合える人たちなのだ。互いに恥じることも誇ることもなく、便利に互いの交わりを結ぶ。このように外国ともきちんと交わるべきであると、福澤は考えています。

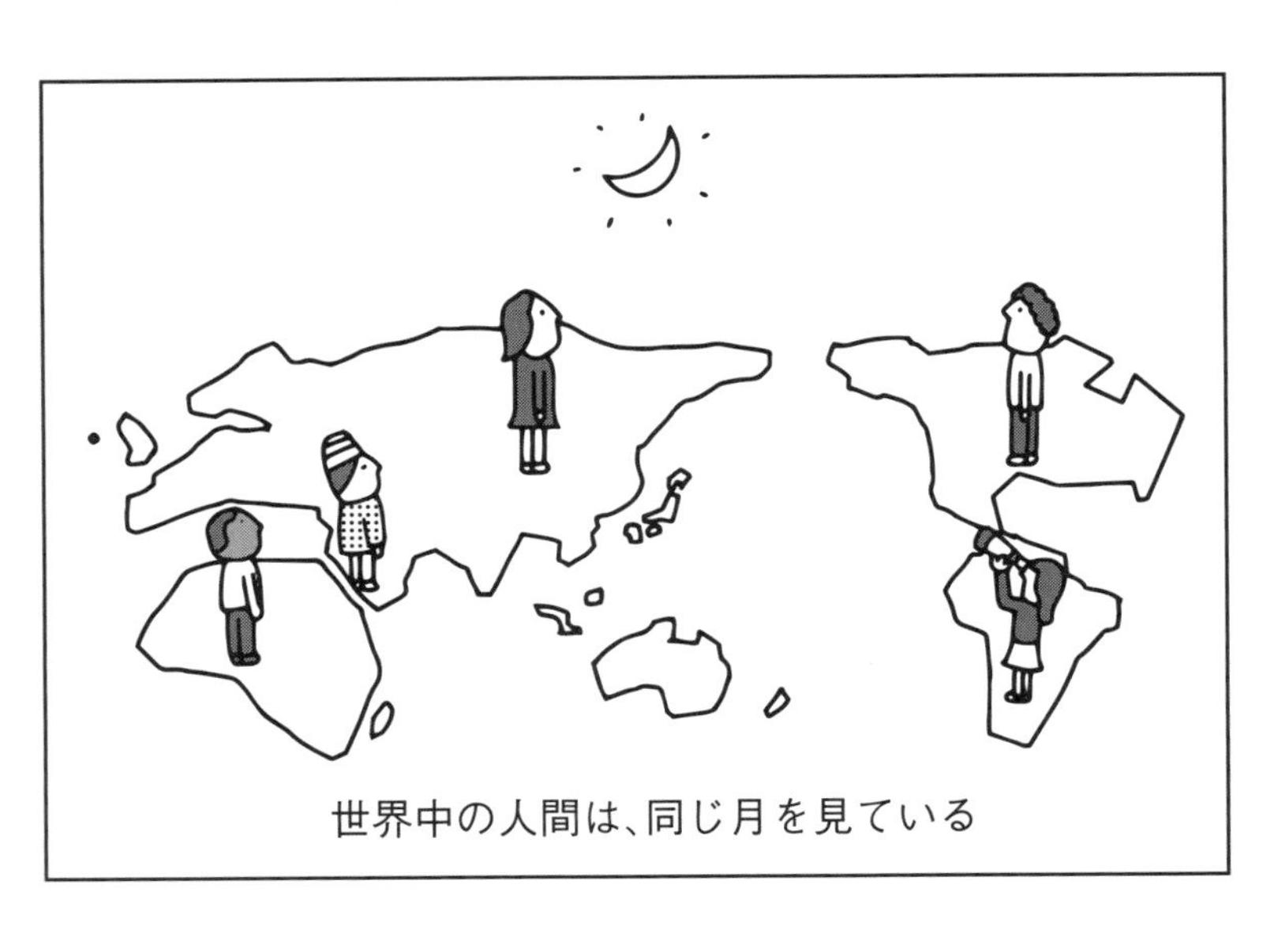
世界中の人間は、同じ月を見ている

外国人を追い払おうとして、かえって外国人に苦しめられるという事情、これは中国（清）がアヘン戦争（1840―1842）でイギリスに負けてから、そうした状態になってしまったことが背景にあります。

個人々々がそれぞれ勝手に、自由自在の者として他の人と交わるとなると、これはうまくいかない。わがままや放蕩となってしまいます。それと同じように、**国家間のことも、互いに分限を守り、ルールを守らないとうまくいかない**のです。

ここでは、国家間のことも個人間のことも同じなのだ、といっています。福澤は個人間では、自由でありながらわがままではない、というあり方を推奨しています。それと同じことが国家間でも必要なのです。

個人と同じように国というものも、他の国を嫌わないで、互いに上手にやりとりをしよう

外国の人を見れば、ひと口に夷狄（いてき）（外国人を野蛮人と卑しめる表現）というふうに相手を卑しめ嫌い、そして国同士が戦争をする。するとかえって負けて苦しめられてしまう。相手に対していばってみたり、あるいは支配されてしまったりで、自由な国と国のつきあいにはなっていない。個として独立して、ひとつの国としてやっていく以上、他の国と上手にやりとりをしましょう。**独立していて、なおかつ互いに外交というものを上手にやっていこう**。そういう主張です。

『学問のすすめ』は維新直後に刊行された本ですが、そのころにはまだ攘夷（じょうい）思想をもった人たちや、「鎖国はよかった」と考える人たちがかなりいました。

しかし、そうした人たちは非常に見方が狭く、外界を知らない井の中の蛙（かわず）同然で、相手になってもレベルの低い議論になってしまうので、取り合う必要はないと、福澤諭吉は断じています。

1－4

独立の気力がないと、外国に対抗できない

「近来わが政府、頻(しき)りに学校を建て、工業を勧(すす)め、海陸軍の制も大いに面目を改め、文明の形、ほぼ備はりたれども、人民未だ外国へ対してわが独立を固(かた)くし、ともに先(さき)を争はんとする者なし。」

「人民に独立の気力あらざれば、文明の形を作るも、ただに無用の長物のみならず、かへつて民心を退縮せしむるの具となるべきなり。」（第五編）

現代語訳

近頃、政府は学校を建て、工業を興し、海陸軍の制度も一新し、文明の形はほぼ備わったけれども、国民は、いまだ外国に対して自分たちの独立を強固なものとして、外国と競い合おうとしない。

人民に独立の気概がなければ、文明の形だけを作ったところで、無用の長物となるばかりか、かえって人民の心を委縮させる道具になってしまうだろう。

文明の形ばかりを作っても、そこに精神が入っていなければ文明は無用の長物になってしまう

政府が学校を建てたり、工業をすすめたり、軍隊を強化したりして、文明の形もほぼ整ってきたけれども、精神がまだこれについていっていない、外国と競争する者がいない。

文明の形というものはわりと簡単にできる。ところが、「**国の文明は形をもつて評すべからず**」と福澤がいうように、学校とか工業とか軍隊とか、そういうものは形にすぎない。形だけ

ではだめで、**文明の精神というものが大切なのだ**、ということです。

「仏作って魂入れず」ということわざがありますが、魂が入っていない、独立の気力がない国になってしまう。

いま文明の形は備わってきたようだが、文明の精神というべき独立の気力が日に日に衰え、人民の心を萎縮させているのはどういうことだろうか、それが問題だと福澤は嘆いています。

そういう状態では、どうやって外国と競っていけるだろうか、外国に対する競争心がないのは、独立心がないからだ。「誰かが何とかしてくれるだろう」などと思っても、実は何ともならないのですね。一人ひとりのやる気というものが基本となるのです。

怒濤のように押し寄せてくる外国資本に独立した気力をもって対抗すべき時期に来ている

このような状態は、いまの日本でもいえることではないでしょうか。たとえばアマゾンがこれだけ流通を支配し、Ｕｂｅｒ Ｅａｔｓも出てくる。そして.iＰｈｏｎｅなどが徐々に大きなシェアをもってくる。こうしたものに対して日本はなかなか競争できていないのではないか。

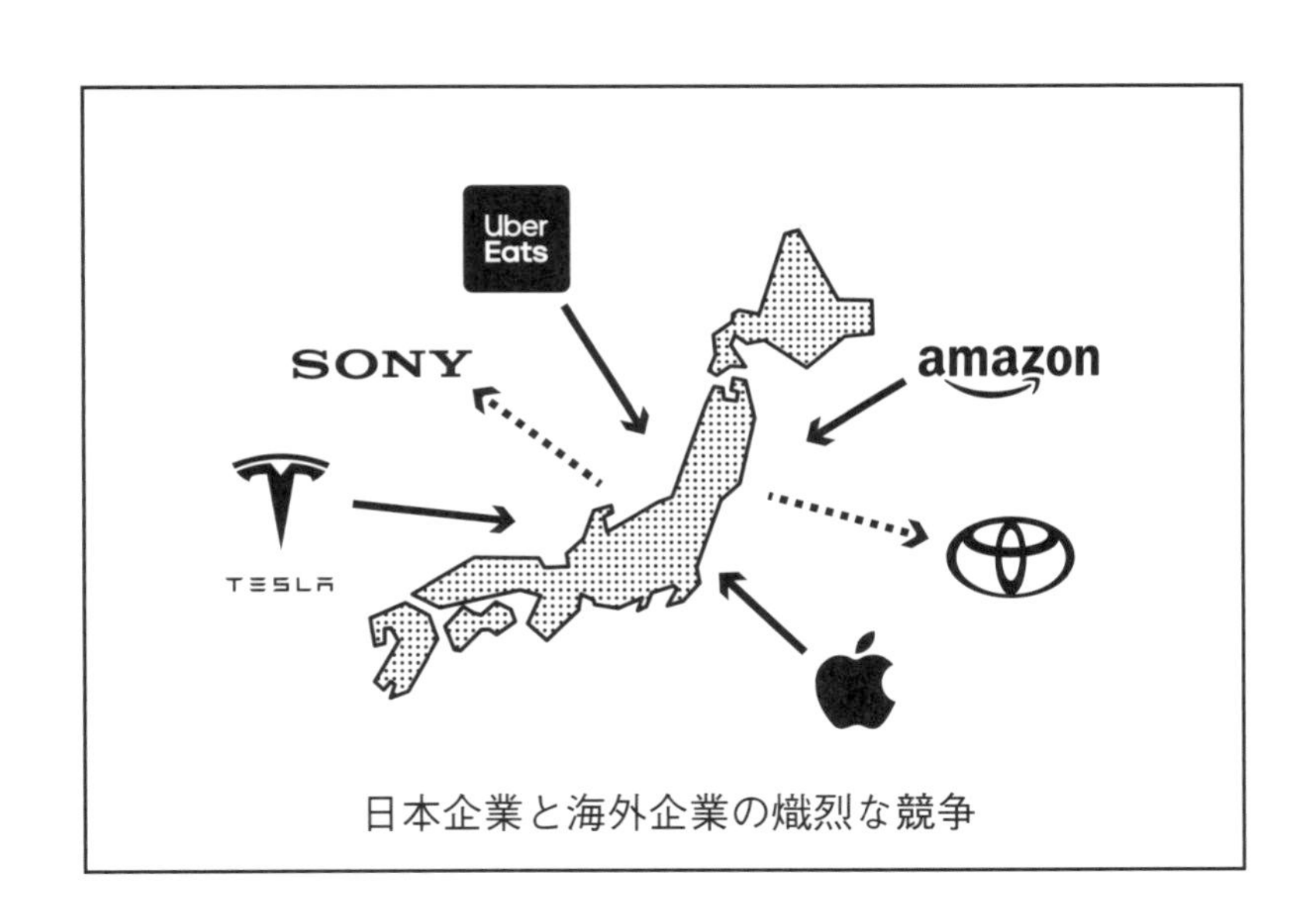

日本企業と海外企業の熾烈な競争

独立した形で外国と競争していく気持ちは、1960年代、70年代の日本の企業には常にあった。それはいまでもあるとは思いますが、この厳しい世界的な経済状況、怒濤の勢いで外国の資本が押し寄せているこの現実の中で、たとえば日本の流通業界が奮起して、あらたにアマゾンに対抗できるような流通網を形成できたかというと、どうでしょうか。**ほんとうに一人ひとりが戦えているのか**、それがあらためて問われる時代になっていると思われます。

国益に合わなくとも、資本主義の力、その波がどんどん押し寄せてきています。独立して戦う、という意識をもつ時期に来ている、というように思います。

1－5

政府を恐れず、不都合があれば訴えよう

「旧幕府の時代、東海道に御茶壺の通行せしは、みな人の知るところなり。（……）これらはみな法の貴きにもあらず、品物の貴きにもあらず、ただいたづらに政府の威光を張り、人を畏して、人の自由を妨げんとする卑怯なる仕方にて、実なき虚威といふものなり。（……）政府に対して不平を抱くことあらば（……）遠慮なく議論すべし。天理人情にさへ叶ふことならば、一命をも抛ちて争ふべきなり。」（初編）

現代語訳

旧幕府の時代には、東海道に「御茶壺」が通るときには、みなその前に土下座した。……これらの慣習自体が尊かったのではなく、茶壺などの品物が尊かったわけでもなく、単に政府の威光で人をおどして、人びとの自由を妨げようとする卑怯なやり方である。内容のないただの空いばりだった。……政府に対して不平があったら、……遠慮なく議論をするのが筋である。天の道理や人の当たり前の情にきちんと合っていることだったら、自分の一命をかけて争うのが当然だ。

お上にひれ伏して、ひたすら恐れ敬うといったあさましい制度・風俗の横行した時代は終わった

江戸時代には御茶壺の通行というものがありました。大名行列があるとみんながひれ伏したようなことですね。これは政府の威光をいたずらに笠に着て、人をおどして人の自由を妨げようとする卑怯な仕方である。「**実なき虚威**」、虚しい威光です。

こうした制度・風俗はもうなくなったのだ。お上というものをひたすら恐れて敬う、そうい

う時代は終わった。政府に対して不平を抱くことがあれば、遠慮なく訴えて議論をしよう。場合によっては、「一命をも抛ちて争ふべきなり」と。

いまでは個人が国を相手取って裁判を起こすことがあり、それは少しもおかしいことではありません。しかし、江戸時代では徳川幕府に対して個人が訴えを起こすということは、まず考えにくいことでした。こうした直訴をする場合には、自分の命をかけなければならなかったのです。**権威にひれ伏してしまう心根というものを打ち払え**、ということです。

政府に対して不平や不満があれば遠慮することなく、議論していこう

特に、言論の自由というものが大事だ、遠慮なく議論すべきだ。旧幕府の時代の心のあり方というものを打ち払って、新しく自由で、個として独立した、自信に満ちたあり方にシフトしていこう、というメッセージです。

平民に苗字が許されたのは明治3（1870）年です。それまでは武士以外の人たちは苗字を許されず、馬にも乗ることができませんでした。乗馬が許されたのは明治4年です。明治初

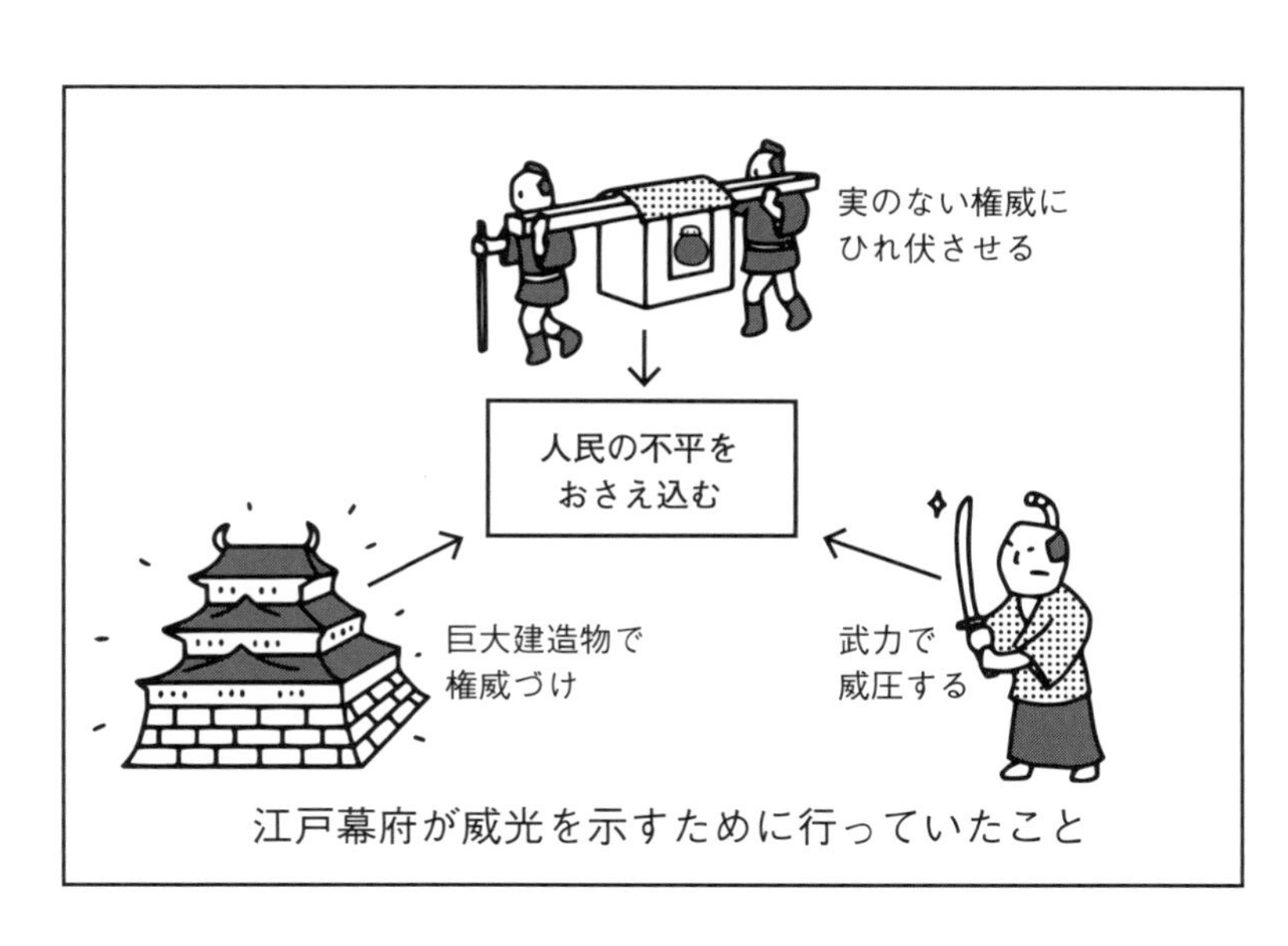

江戸幕府が威光を示すために行っていたこと

期にはまだ武士の権威というものが名残をとどめていました。それを、法律的にもどんどん打ち払っていくというのが、最初の改革でした。

御茶壺というのはちょっとおもしろい例です。新茶を江戸の将軍に献上するために、江戸から役人が茶壺を宇治に運び、壺に新茶を入れて江戸にもって帰ってくる。この往復を御茶壺道中といい、これに出会う者は土下座しなければなりませんでした。

もちろん、これはお茶そのものというよりは、それを将軍が用いるということから生じる権威にひれ伏したのですが、それは実のない虚勢だ、権威にひれ伏すのでは、これからはだめなのだ、と人びとを激励しています。

1－6

国民は「客」でもあり「主人」でもある

「およそ国民たる者は、一人の身にして二箇条の勤めあり。その一の勤めは、政府の下に立つ一人の民たるところにてこれを論ず。すなはち客の積もりなり。その二の勤めは、国中の人民申し合はせて、一国と名づくる会社を結び、社の法を立ててこれを施し行なふことなり。すなはち主人の積もりなり。」（第七編）

現代語訳

およそ、国民というものは、ひとつの身でふたつの役目がある。ひとつめの役目は、政府の下に立つ一人の民というところから見たものだ。すなわち客の立場だ。ふたつめの役目は、国中の人民が申し合わせて、「国」という名の会社を作り、会社の法を決めてこれを実施することである。すなわち主人の立場だ。

国民は一人二役をするもので、客になる場合と、主人になる場合がある

これは「国民は一人二役」なのだということです。ひとつは、客分といって「政府の下に立つ一人の民」である。もうひとつは、「主人」である。自分たちが申し合わせて国という会社を作り、その会社の法、ルールを作る。その主体であるということです。

国のいろいろなルールに従うものとしての客分、お客さんとしての立場と、自分たちで国の

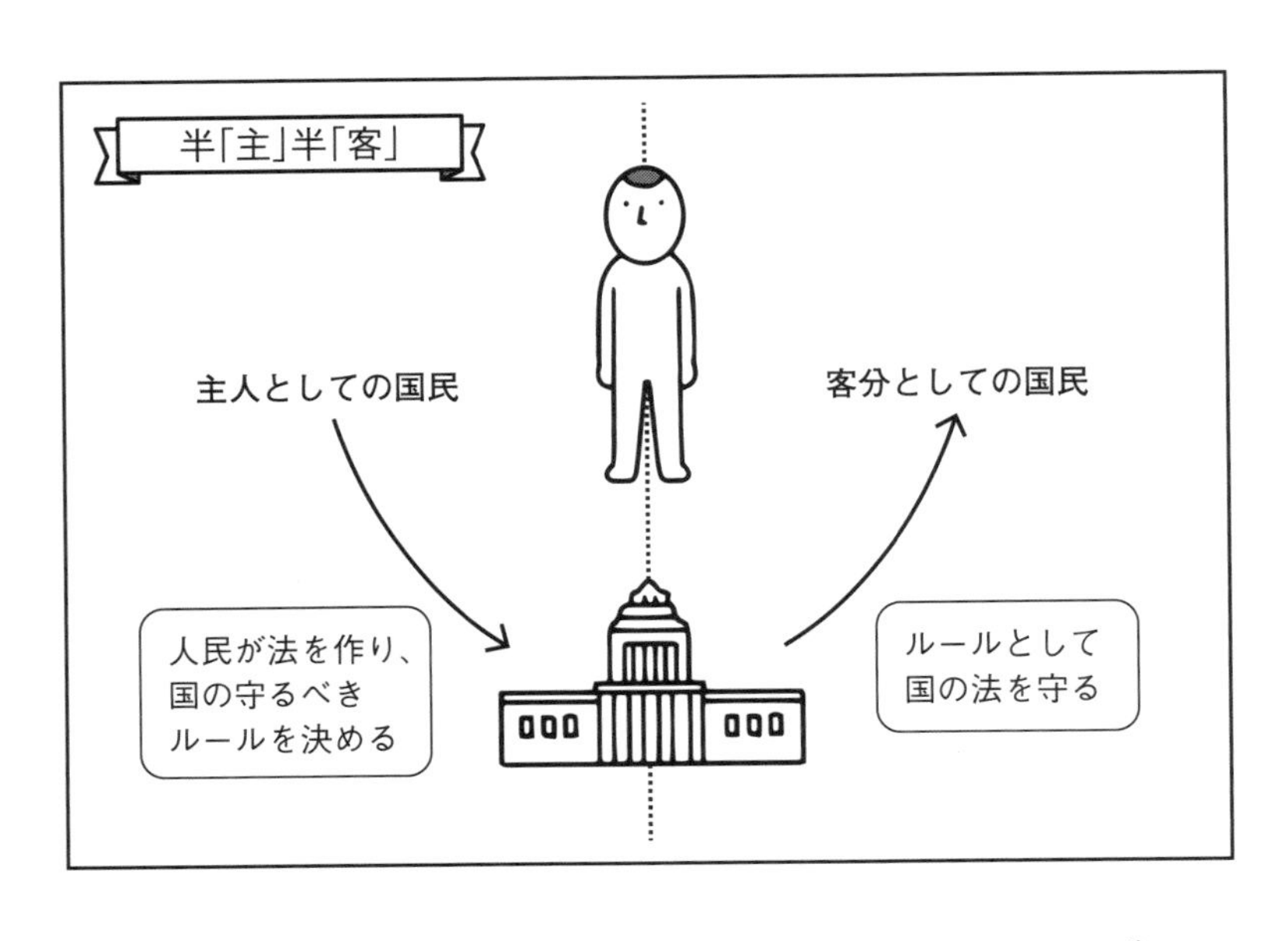

ルールを作っていく主人の立場、その二役を務めるのが国民のすることなのです。

ですから、国は商社のようなもので、国民はその社員であり、またその商社の規則を決めた主人でもある、といっています。

さらに、国民の義務として、福澤諭吉は次の2点を挙げています。

第1は、客分としてみると、**ルールとしての国法を重んじて守ろう**、ということです。

第2は、主人としてみると、**国中の人民はそのまま政府となるものである**。これは**国民主権を先取り**したものですね。

いまでは日本国憲法があって、国民主権は小学校でも習いますから、当たり前のことです。しかし、大日本帝国憲法の時代には、まだ国民主権は唱えられていませんでした。福澤がここで論じているのは、さらにその前の時代です。そういう事情を考えると、「一国の人民がすなわち政府である」とは、かなり積極的な言葉として受け取れます。

人民として不平に思うことがあれば積極的に、しかも穏やかに、理を尽くして提言しよう

さらに福澤は、「人民は政府に対して言いなりになっているのではなく、不平に思うことがあったら遠慮せず、しかも穏やかに意見をするべきだ。遠慮はしないで、積極的にやりなさい」と、人びとの背中を押しています。

「穏やかにものをいう」「きちんと理を尽くしてものをいう」このような提言の仕方は、福澤諭吉のおすすめのやり方です。

このあたりは西洋の国家の仕組みを紹介しているところです。江戸時代から明治になって間もない時期に、国家の仕組みをみんなが納得するように話すには、なかなかの技量が必要で、やはり福澤は啓蒙の達人ですね。

1－7

必要な法律を作ろう。その法律は守ろう

「国民の総代として政府を立て、善人保護の職分を勤めしめ、その代はりとして役人の給料はもちろん、政府の諸入用をば悉皆国民より賄ふべし、と約束せしことなり。」

「人民は政府の定めたる法を見て、不便なりと思ふことあらば、遠慮なくこれを論じて訴ふべし。すでにこれを認めてその法の下に居るときは、私にその法を是非することなく、謹んでこれを守らざるべからず。」（第六編）

現代語訳

国民全員の代表として政府を立てて、善人保護の仕事をさせ、その代わりとして役人の給料はもちろん、政府が必要とする諸々の費用をすべて国民よりまかなう、と約束したのである。

人民は政府の定めた法律を見て不都合だと思うことがあれば、遠慮なくこれを論じて訴えるべきである。すでにその法を認めて、その法の下にあるときには、その法についてあれこれ勝手に判断せずに、つつしんでこれを守らなければならない。

政府と国民とは約束を交わして
政府は国民を守り、国民は政府の費用をまかなう

政府は国民の代理人であり、罪を犯した者を取り締まり、罪のない者は守るものだ、ということです。

政府と国民との関係は、「**約束**」がキーワードとなります。政府と国民が約束を交わして、政府は国民を保護する。それにかかる費用や役人の給料などに対して、国民は税金を払う、と

いう約束です。いまでは当たり前のことですが、なにしろ明治時代の一桁台の話なので、人びとの間には、「約束」という感覚があまりありません。

『学問のすすめ』には、1－2でも名前の出たアメリカの学者、フランシス・ウェーランドの『修身論』を下敷きにした部分が多くあります。この本にあることを、わかりやすく日本の実情にあてはめて書いています。国家とは何か、国民とは何か、その両者の関係はどういうものか、法律はどうなっているか。現代では当たり前のことでも、近代国家が成立するかどうかという時代ですから、いまでいうと中学生の公民の授業で教えるように、わかりやすい内容で説いたのです。

法律を認めた場合は、それに従い、法律がおかしな場合は、それを変えていこう

「人民は政府の定めたる法を見て……」は、法がおかしい場合は政府に訴え、法を認めた場合はそれに従いなさい、ということです。いまの時代では国法を守ることは当然とされますが、これから新しい時代へと変わっていく中で、法律というものを作っていくのだ、という自覚を

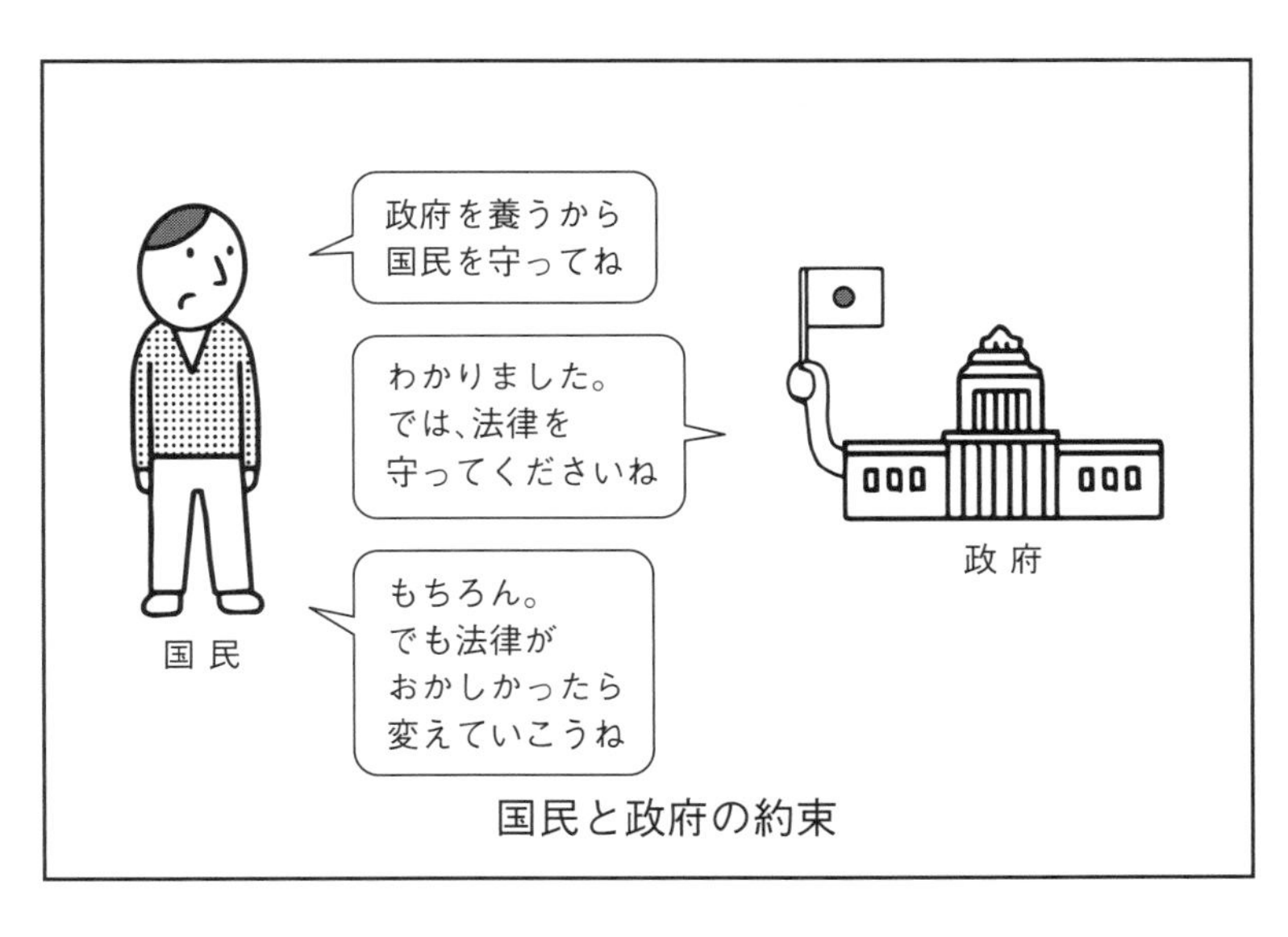

国民と政府の約束

もたなければいけない、と述べています。

法律によくないところがあっても、それをただよくないといっているだけでは、法律はなかなか変わっていきません。国会でも行政でも、やり方がおかしい場合は市民が声を上げると、変化をしていきます。

たとえば、セクハラ発言、パワハラ発言といわれるように、かつては容認されていたことでも、いまはいけないとされてきていますね。こうした問題が裁判になったときに、**裁判官が時代の感覚の変化を感じ取って判決を下すことによって、判例が積み重なっていく**。法律自体を大きく変えなくとも、量刑を重くするとか、名誉毀損罪を適用するとか、世の中の実際に即したルールができていきます。

1－8

官に頼るな、同調圧力に負けるな

「政（まつりごと）は一国の働きなり。この働きを調和して国の独立を保たんとするには、内に政府の力あり、外に人民の力あり、内外相応じてその力を平均せざるべからず。」

「全国の人民、数千百年専制の政治に窘（くる）しめられ（……）上下の間（あいだ）隔絶して、おのおの一種無形の気風をなせり。その気風とはいはゆる『スピリット』なるものにて（……）その専制抑圧の気風は、今なほ存せり。」（第四編）

現代語訳

政治というのは、一国の働きである。この働きを調和させて国の独立を保とうとすれば、内側に政府の力、外部には国民の力があって、内外それぞれ反応してその力のバランスをとらなければならない。

日本全国の人民は、非常に長い間、専制政治に苦しめられて……政府と人民の間はますます離れてしまい、それぞれ独特の気風をもつようになった。その気風とは、英語でいうところの「スピリット」であって……その専制抑圧の気風は、いまだにある。

人の健康にバランスが大切なのと同様に国の健康には、政府と人民の力のバランスが必要

人間の健康には各部分のバランスが大切であるのと同じように、一国の働きにおいても、政府の力と人民の力とのバランスが大切。双方の力を平均させ調和させるのが、国の健康というものである、ということです。

ですから、政府だけで一国の文明が進むのではなく、人民が無気力だったら全然意味がなく

なってしまう。わが国の人民は数千年の専制政治に苦しめられてきたので、人民は強い気持ちをもつことができなくなっている、と危惧しています。

そして「つひに上下の間隔絶して……」、政府と人民が離れてしまいます。ここで「気風」という言葉を使っていますが、これは「スピリット」であり、急には変わらないもので、専制抑圧の気風は残ってしまう。この力はけっこう強く、長年、政府が専制をしいていると、人民は「お上（かみ）、お上」と、恐れるようになってしまうのです。

教育現場にも官の圧力が強くなって個性が伸びにくく、チャレンジがしにくくなってきた

こうしたことはいまでもあります。たとえば大学では、文部科学省から通達が来ると、「文科省がこういっているからそれに従わなければ」と大騒ぎになります。大学には自治がありますが、文科省の認可を必要とする、さまざまな事業や企画もあります。文科省からＯＫが出ないと、大学としては先に進めなくなる。それを恐れて通達にはすぐ従おうとする。そういう気風が漂っているわけです。

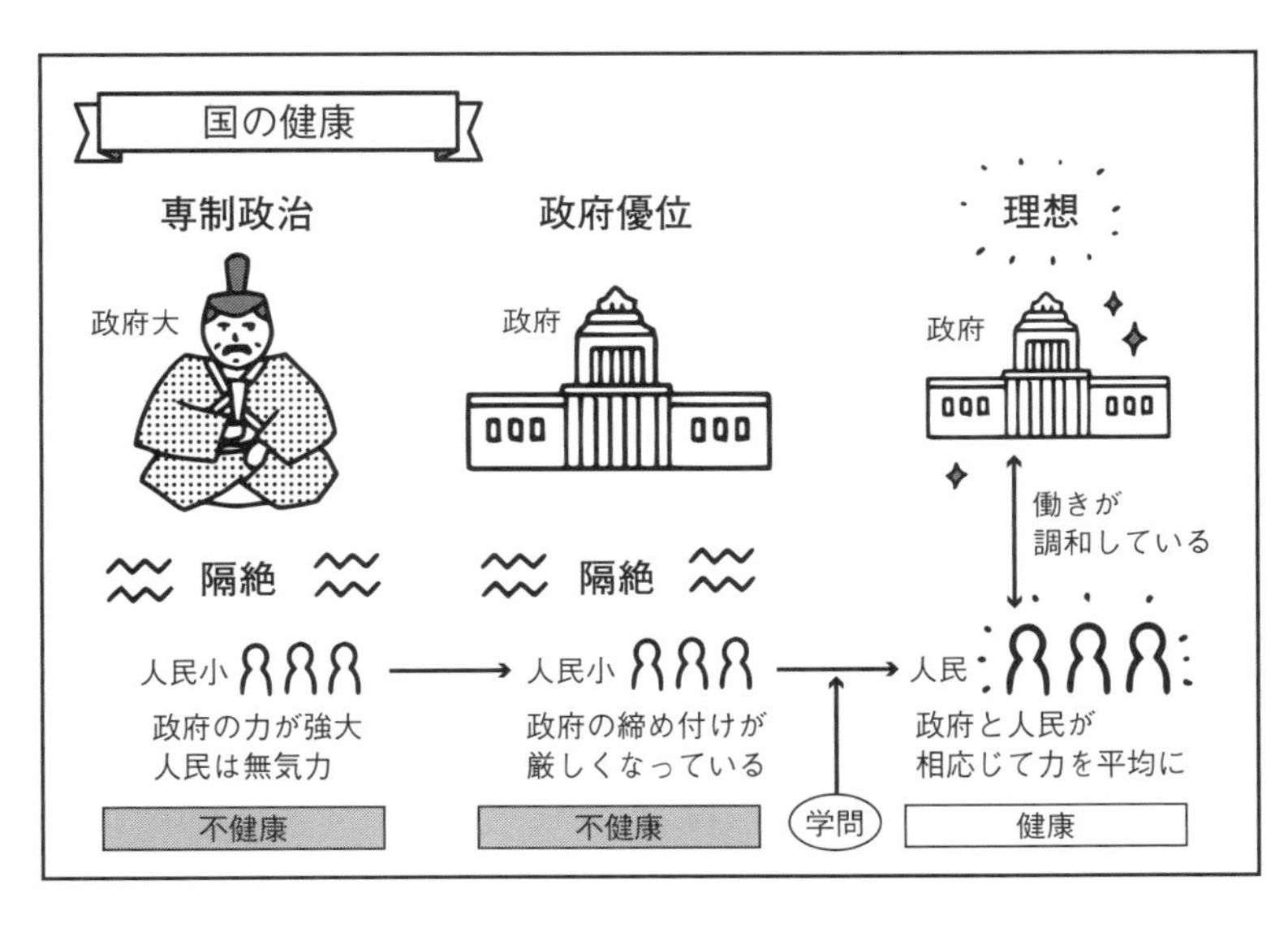

大学に勤めてもう30年ほどになりますけれども、その間、どんどん官の圧力が強くなり、管理がきつくなってきていると感じます。

たとえばカリキュラム作成でも、文科省があれこれと注文をつけてくる。「それは安全性や質をキープするためだ」というかもしれません。しかし、縛りが強すぎれば個性がまったく伸びてこないし、チャレンジする気持ちも出てきません。こうした圧力を覆すのはたいへんむずかしい。助成金や認可の採否などで縛られていますし、一度強くなってきた官の力を覆す方法もなく、つい、長いものには巻かれろ、となってきます。

ほんとうは、**学校はもっと自由で独立した組織であるべき**ですね。

1－9

税金は気持ちよく払い、きちんと使ってもらおう

「一年の間に僅か一、二円の金を払うて、政府の保護を被り、夜盗・押し込みの患へもなく、独り旅行に山賊の恐れもなくして、安穏にこの世を渡るは大なる便利ならずや。およそ世の中に割合よき商売ありといへども、運上を払うて政府の保護を買ふほど安きものはなかるべし。」（第七編）

現代語訳

年間わずか1円か2円を払って、政府の保護を受けて、泥棒や強盗の心配もなく、一人で旅行しても山賊に遭う恐れもなく、安穏とこの世を渡っていけるのは、非常に便利なことではないか。およそ世の中に、何がうまい商売かといって、税金を払って政府の保護を買うほど安いものはない。

わずかな税金を払うだけで、毎日安心して暮らせるのはとても安い買い物に違いない

わずかの金を払って政府に保護してもらっているおかげで、泥棒や押し込み強盗もこないし、旅行に行っても山賊も出ない。こうして安心して世の中を渡れるのはたいへん便利ではないか。いろいろな商売があるけれども、運上（税金）を払って政府の保護を買うほど安い買い物はない。だから、「**思案にも及ばず、快く運上を払ふべきなり**」、気持ちよく税金を払おう、とすす

めます。

納税についての短い文章ですが、これは案外、私たちのストレスを減らしてくれる気がしますね。

税金を払っていることに虚しさを感じている人は、けっこう多いと思うのです。税金をムダ遣いされているという面も、たしかにあるから、それを監視するのも国民の役目というのが前提としてあります。それを承知のうえですが、「税金は快く払うべきだ」という言葉で、私はちょっと救われた感じがありました。

税金は政府に取られるものではない 生活に必要なサービスを買うものだから、快く払おう

どうしてなのかというと、税金を払うことが義務なのは当然ですが、それを払うときに、何かちょっと「取られている」感覚になるのですね。ところが福澤諭吉によると、税金があることによって、自分たちの身の安全が守られる。あるいは国というものを考えると、他国が攻めてきたときに守り切れるのか、とても一人では守りきれない。やはり、軍費なども必要なわけ

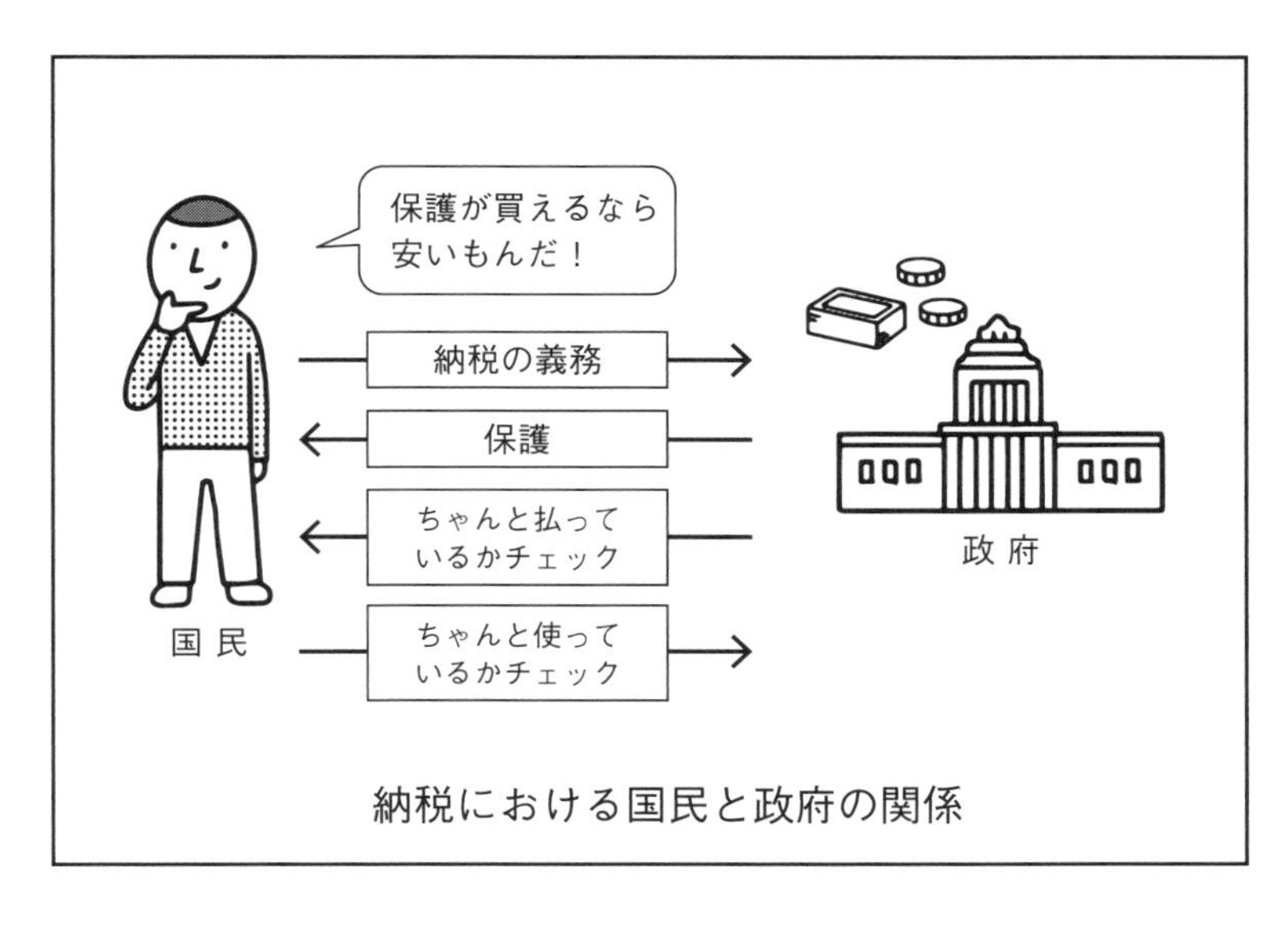

納税における国民と政府の関係

です。

　こうした**いろいろなサービスや安全を享受できている現在の状態が当たり前なのではなく、その状態をキープするのはたいへんなこと**なのです。そう思うと「快く税金を払う」ということが納得できる。もちろん、税金の使い方について厳しくチェックを入れるということが前提ですが。

　それに、一人がズルをすると、みんなズルしたくなる。それではもう、国家は潰れてしまいます。ですから、相当な金額の収入があるのに何年も申告していないなど、税金逃れと見られるわけで、これを有名な人がやると、もう国民や国家としての基本ができていないということになってしまいます。

1－10

国に頼らずに、自分たちでやっていこう

「世の文明を進むるには、ただ政府の力のみに依頼すべからざるなり。」「学校も官許なり、説教も官許なり、牧牛も官許、養蚕も官許、およそ民間の事業、十に七、八は官の関せざるものなし。ここをもつて世の人心ますますその風に靡き、官を慕ひ官を頼み、官を恐れ官に諂ひ、毫も独立の丹心を発露する者なくして、その醜体見るに忍びざることなり。」（第四編）

現代語訳

一国の文明を発展させるには、ただ政府の力のみに頼ってはならない。学校も官許。説教も官許。牧牛も官許。養蚕も官許。民間の事業のうち十に七、八までは官に関係している。このおかげで世間の人の心は、ますますその習慣に染まっていき、官を慕い、官を頼み、官を恐れ、官にへつらい、ちっとも独立の気概を示そうとする者がない。その醜態は見るに耐えない。

政府だけでは、世の中の文明は進められない　官に媚びへつらうような醜態はやめよう

政府と人民の力のバランスが大切であることは、1―8でも述べていますが、ここでは、そのバランスが政府のほうにばかり片寄ってしまうと、世の中は豊かにならない、政府だけでは一国の文明は進んでいかないのだ、と警告しています。

「学校も官許なり……」は、町人も官の名を借りて商売をしますし、学校も官の許可を得て

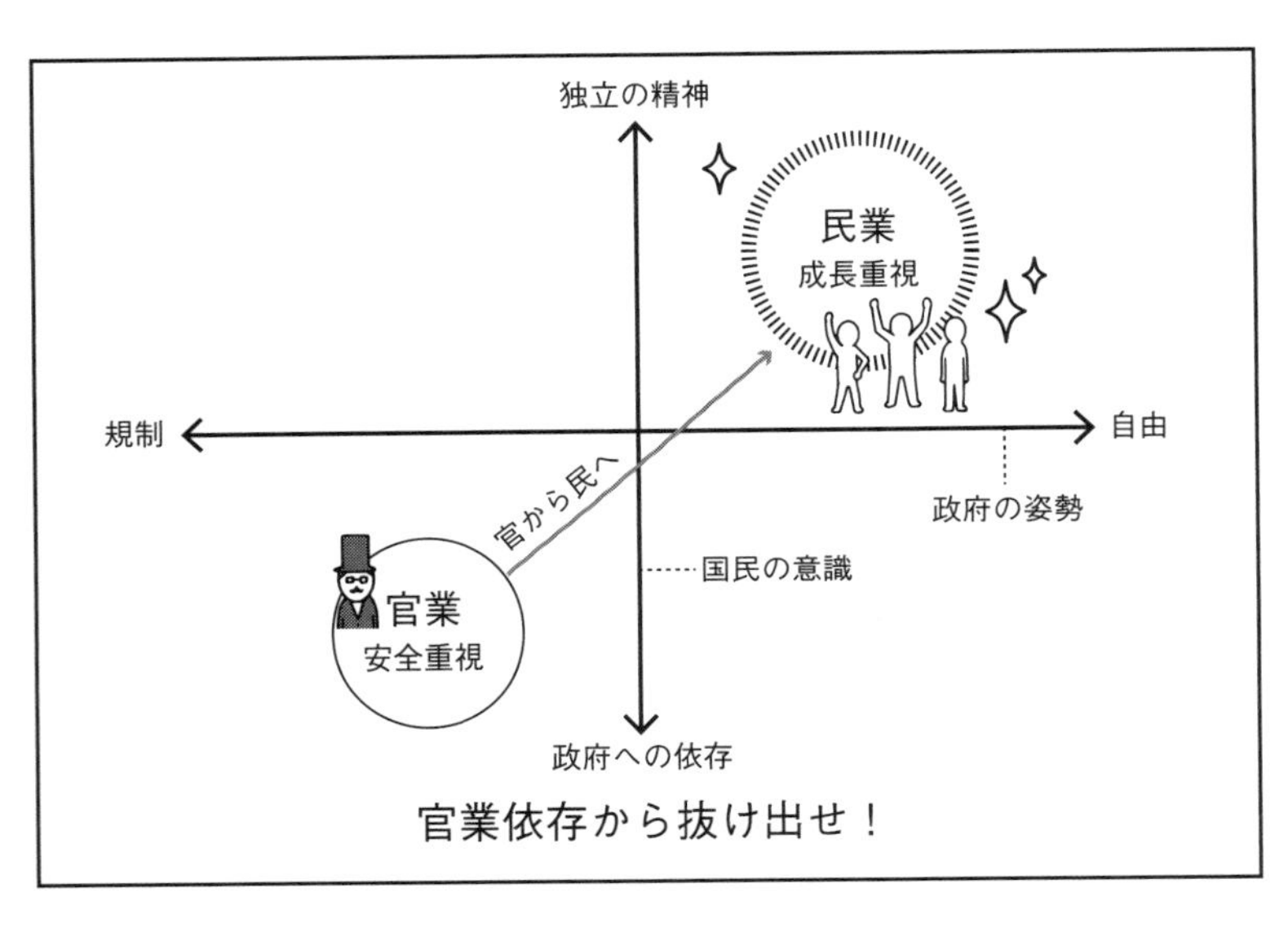

運営する。官を恐れて官にへつらって、人びとに独立の気概などまったくない、それは醜態で、見るに忍びない、と嘆いているのです。

1－8でも述べたように、現在の大学では文部科学省のいろいろな「官許」がないと進まない。定員すらも、細かく規定されています。

明治の初めごろ、洋学者は政府が必要とする学問をする人で、その人たちがリーダーになると期待されていました。しかし、その洋学者が官の仕事ばかりに就いて、どうも民のほうには力を尽くしてくれない。西洋の文章だけを読んで、そこにある独立の精神というものを学んで理解してはいない。福澤は洋学者ですから、それが不満だったわけです。

民間でいろいろな事業を興していかないと世の中は豊かになっていかない

福澤は、官と民ということであれば、完全に民の側にいます。ここは、自分は民の側にいて改革を進めるのだ、「私立の事業という思想」が大事なのだ、という話です。

公立だけでなく、私立の事業が活発にならないといけない、という考え方は渋沢栄一（1840―1931）が、「**民間の会社を作って経済を振興しないと、日本は豊かになっていかない**」といったことと同じです。渋沢は、いまでいう財務省に勤めていましたが、そこを辞めて民間の会社を作るといった。すると、友人から「金銭に目がくらんだのか」と批判されました。でも自分は「『論語』に説かれた教えで、経済活動をやって見せる」と反論したのです。これは彼の『論語と算盤』に書かれていることです。

これからの日本は経済が中心になっていく。その経済を民間で動かしていかないで、政府に肩代わりしてもらっても、世の中は豊かになっていかない、と福澤も警告しています。

1－11

一人でこの国を維持する気力

「その志を高遠にして学術の真面目（しんめんぼく）に達し、不羈独立（ふきどくりつ）、もつて他人に依頼せず、あるいは同志の朋友（ほうゆう）なくば、一人にてこの日本国を維持するの気力を養ひ、もつて世のために尽くさざるべからず。」（第十編）

現代語訳

志を高くもち、学術の真髄に達し、独立して他人に頼ることなく、もし志を同じくする仲間がなければ、一人で日本を背負って立つくらいの意気込みをもって世の中に尽くさなくてはいけない。

同志がいなくて、たとえ一人になってもこの日本を背負っていく気力をもて

これは気合の入った文章です。自分一人でも日本を背負って立つ気力をもて、気概をもてということです。「人に頼るな、自分だけでも立ってゆけ」と、非常に強い激励の言葉です。

「**一人にてこの日本国を維持するの気力**」、これはTシャツにプリントして着たいぐらいの、素晴らしい言葉ですね。

一人で日本を維持しようという気力を養え

一人でも日本を背負っていく。私は小学校4年ぐらいのときには、そうした意識がありました。同じ意識をもった人たちも、これまでもたくさんいましたし、いまもたくさんいることと思います。そういう人たちが日本の屋台骨を支えているのです。

たとえば野茂英雄さんは、いろいろな批判を受けながらもメジャーリーグに挑戦し、ノーヒットノーランを2回達成するなどして野茂マニアを生み出した。そして、日本の野球のレベルを世界に知らしめました。

野茂さんは日本の野球を背負って海の向こうに渡ったわけです。彼が開拓者として活躍したので、その後、イチローなどいろいろな選手が、海を渡ってメジャーリーグで勝負するのが当たり前になりました。

外国では、日本人の活動を通して日本という国が評価されている

一人ひとりが、この日本国を維持する気力をもっている。そういう国であれば強いですね。このような意識で勉強していた人が、明治時代にはずいぶん多かったのです。生物学者の南方熊楠（1867―1941）は大英図書館で勉強して論文をたくさん書きましたが、こうした活動によって、日本国というものを代表しているのだ、という意識があったと思います。

外国では、日本という国は、日本人の活動を通して見られるわけです。一人の日本人が成功すると、「日本人、やるね！」ということになる。

サッカー選手でも、外国で中田英寿さんや長谷部誠さんが活躍すると、**日本人というものが評価され、後続が海外に進出しやすくなります**ね。

このように各分野で、いわば日本を背負って立っている人たちがいるのです。私たちもそうした気力をもって生きたいものです。

1－12

政府は国民のレベルに合ったものになる

「愚民の上に苛き政府あれば、良民の上には良き政府あるの理なり。」

「一身の行なひを正し、厚く学に志し、博く事を知り、銘々の身分に相応すべきほどの智徳を備へて、政府はその政を施すに易く、諸民はその支配を受けて苦しみなきやう、互ひにその所を得て、ともに全国の太平を護らんとするの一事のみ。今余輩の勧むる学問も、もつぱらこの一事をもつて趣旨とせり。」（初編）

現代語訳

愚かな民の上に厳しい政府があるとするならば、よい民の上にはよい政府がある、という理屈になる。

自分の行動を正しくし、熱心に勉強し、広く知識を得て、それぞれの社会的役割にふさわしい知識や人間性を備えることだ。そうすれば、政府は政治をしやすくなり、国民は苦しむことがなくなり、お互いに責任を果たすことができる。そうやってこの国の平和と安定を守ることが大切なのだ。私がすすめている学問というものも、ひたすらこれを目的としている。

人民が愚かであれば、政府は独裁的になり人民が賢ければ、政府は善政をしく

人民が愚かであると、政府も厳しくなる。人民が賢ければ、政府も治めやすく、よい政府になる。ここのところは、人民がよくても政府が独裁的になることがあるかもしれませんから、一概に正しいとはいい切れません。

しかし、一人ひとりがしっかりと学問を修めることによって、独立した人間になり、それが

独立した国家につながっていく、という福澤の理念は、大筋としては正しいと思います。

「一身の行なひを正し……」は、政府と個人の関係について述べています。これからは国民はみな平等ということで、一人ひとりがきちんと学問をして智徳を備え、いろいろなものの道理がわかっていれば、政府はそんなにひどく抑圧的な支配をしなくてもすむ。互いに尊重し合った関係となり、国は平和になる、ということです。政府が厳しいか緩やかなのかは、人民の徳のレベルによるわけで、人が学問をするのも、まったくそのためなのだ、と学問の目的を強調しています。

人民が賢くとも暴政をしく政府には暴力によらず、理を尽くして提言せよ

当時の日本にはまだ、議会も憲法もありません。そうしたときでも、政府を不必要に恐れるのではなくて、**一人ひとりがしっかりとすることによって、政府との関係をバランスのとれたものにしていくことができる**ということです。

前ページで触れたように、もし人民が愚かでなくとも政府が暴政をしいた場合にはどうする

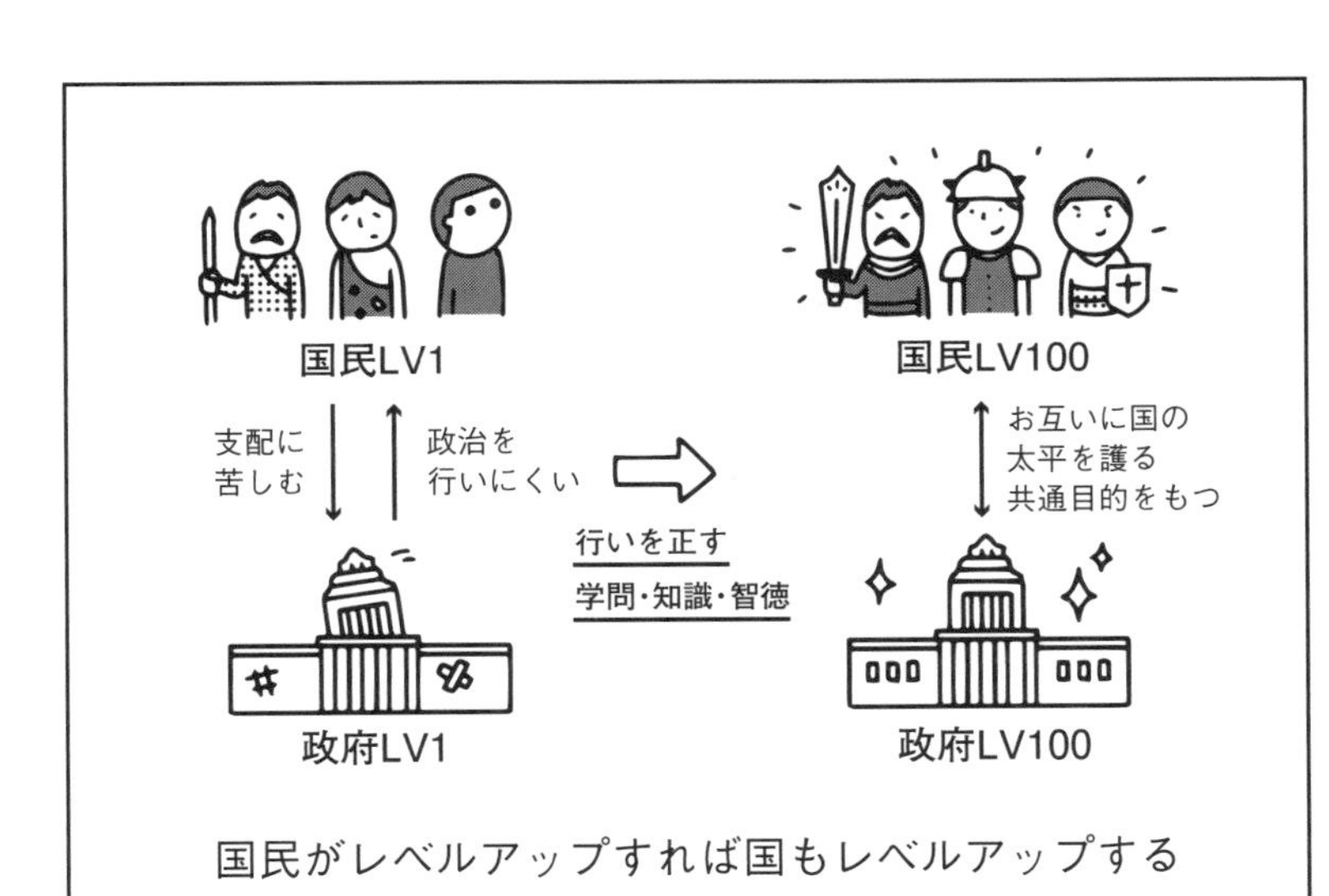

か。福澤は『学問のすすめ』の第七編で、それに対処する方法を三つに分けて挙げています。そのうちの三番目で、「いかなる暴政の下にあっても、人民はその苦痛を忍んで、くじけることなく志をもち、また暴力を振るわないで、理を尽くして政府に訴えなさい」と述べています。

決して力づくで政府に敵対してはいけない、そうすると政府はますますひどくなる。あくまでも冷静に道理を説くべきで、そうすれば役人も同じ人間なので、必ず受け入れてくれるはずだと、ここでも穏やかに提言することをすすめています。

コラム　齋藤孝からの「学問のすすめ」　1

■はたしていまの日本は、外国に対して独立できているか

いまいろいろな新しい技術やシステムが開発されています。ところが、日本はある程度先進国であるために、新しい技術を積極的に導入していこうという勢いが弱く、かえって先進技術の導入が遅くなってしまった嫌いがあります。

むしろ、たとえば電話電信網が完全に発達していなかったような国で、いきなりスマートフォンが普及し、すべてにわたってＩＴが進んでいたりします。変化に対する積極的で貪欲な姿勢の見られる国が伸びています。

時代は情報社会へと怒濤のように流れ、明治維新に比べられるような変革の時期に来ているのに、その舵取りがちょっと鈍い、という印象ですね。この時代に、「まだこんなことをやっているのか」と驚いてしまうことがよくあります。

たとえば新型コロナウイルスが流行しはじめたときに、各家庭にマスクが配られましたが、

「これがこの政府のできる最良の政策なのか」と、がっかりした人もいたと思います。感染症に対してできることは限られているでしょうから、マスクを配るのは愚策であると一方的に非難はできません。しかし、届いたマスクを見たときに、「できることはこのぐらいなのか」「もう少し打つ手はなかったのか」と、政府の状況変化に対する対応力への不信感を募らせた人たちも多かったのではと思います。

政府のすることすべてが愚策というわけでもないでしょうが、予算の使い方を見ても、アメリカやイギリスなどの会社では、相当の費用をかけてワクチンを次々と開発していますが、日本ではワクチン開発に関しては明らかに遅れをとっています。その結果、他国から高額の予算をかけてワクチンを購入することになります。「医療従事者や医療の研究、ワクチンの開発に、もっとお金を注ぎ込むことはできなかったのか」「もっと何か方策はなかったのか」、そういう思いをもった人も多かったでしょう。

福澤諭吉は明治時代の初期に、実学の典型として科学技術の必要性・重要性を説いていました。現在、科学技術に対してどれだけの予算と人材をあてることができているのか、疑問のあるところです。このところ、世界的に変化が激しいので、『学問のすすめ』の教えが非常にリアルになっていると思います。

国家間の外交問題、一国の独立という点で考えてみましょう。昭和47（1972）年に沖縄が返還されましたので、昭和20（1945）年以降の、国が独立していくという時代の空気も、70年代にはまだ残っており、経済も右肩上がりといった自覚でした。

ところが現在では、防御をしなければ危ういという空気が、とりわけ尖閣諸島問題をめぐって起きています。そこで「この問題をアメリカに助けてもらわなければ不安だ」という思いから、アメリカの大統領選などに対する関心も高くなりました。

しかし、こうした問題は、福澤にいわせれば「自分の国は自分で守る」ということになるでしょう。一国の独立とはそういうことです。他の強い国と提携して互いに連合しながら自らを守っていくということも、外交上必要なことです。しかし、自分たちの領土が侵され、自由が妨げられるとなれば「戦って自分たちを守らなければ」という考え方も当然あるわけです。

こうした気概がないと、民主党政権のときに中国漁船衝突事件が隠蔽されたように、弱腰外交となって国家の独立が侵されるかもしれない。新疆ウイグル自治区とか内モンゴル自治区の状態を見ますと、日本だって民族浄化ということにならないとは限らない。モンゴル語が奪われていくように日本語が奪われる、というようなことも、まったくないとはいえないわけです。

これは不必要に恐れを扇動することではなく、「覚悟として自分の国は自分で守る、それが独立ということだ」と、いま福澤が生きていたら、いうのではないかと思うのです。

■これまでの日本がよくなかったと、アメリカ一辺倒になってはおかしい

明治になって日本は、古来の伝統的な文化をないがしろにして、西洋一辺倒に傾きました。同じことが、戦後の日本にも生じました。このように全体が一つの方向に流れていくことに反対したのは作家の三島由紀夫（1925―1970）でした。日本が戦争に負けたとき、日本人は日本古来の精神的な文化を自ら捨ててしまった。それに対して三島は抵抗したわけです。

戦後、GHQ（連合国最高司令官総司令部）は日本の武道を禁止しました。武道は精神性を強くするからですね。それから、「キエーッ」というような「気合」というもの、気合が入ること、気合のあり方までも禁止した。そういう意味では、GHQは日本人の精神のあり方をよく研究していました。あれほど強い精神性をもって戦争で戦った人間を、二度と戦えなくするように、その精神のおおもとを弱める、という意図だったのです。

もともと全体主義と武道とは、何の関係もありません。全体主義国家だから武道があったわけではありませんし、日本の武道は江戸時代以前からのものですから、20世紀の現象であるファシズム国家とは何の関係もない。その武道が禁止された。戦勝国の占領によって自国の精

神文化や身体文化が禁止されるという屈辱を、日本は味わったわけです。

しかし、こうした禁止に日本人自らが賛成してしまった面もあります。あのような戦争を起こしてしまったのは間違っていた。それは、これまでの日本の文化や考え方が間違っていたからだ、ということで、アメリカ風の民主主義を取り入れ、アメリカ風の人権の考え方、アメリカ風の文化が、大きな流れとなって押し寄せてきたわけです。

福澤諭吉は明治維新の時代のことをいっていますが、もし彼が昭和20年の敗戦を経験していたら、いよいよ西洋一辺倒、アメリカ一辺倒を批判したと思います。福澤は、むしろアメリカに詳しかったわけですが、でも、「全部アメリカ風にすればいいというわけではないよ、戦争に負けたからといって日本を全否定する必要はないんだ」と、恐らくいっただろうと思います。福澤は武士のアイデンティティをもっていましたからね。

日本に多少とも残っていた武士的な気質は、敗戦によって日本人が自分で否定せざるを得ませんでした。日本人自身が自分の精神文化というもの、精神力の強さというものを放棄したことに対して、三島は絶望的に嘆いていたわけです。彼の割腹自殺があまりにもエキセントリックだったので、ショックが大きすぎましたが、彼のいっていることをいま振り返ってみると、そんなに極端なことではなかったように思えます。

第2章 「学問」とのつきあい方

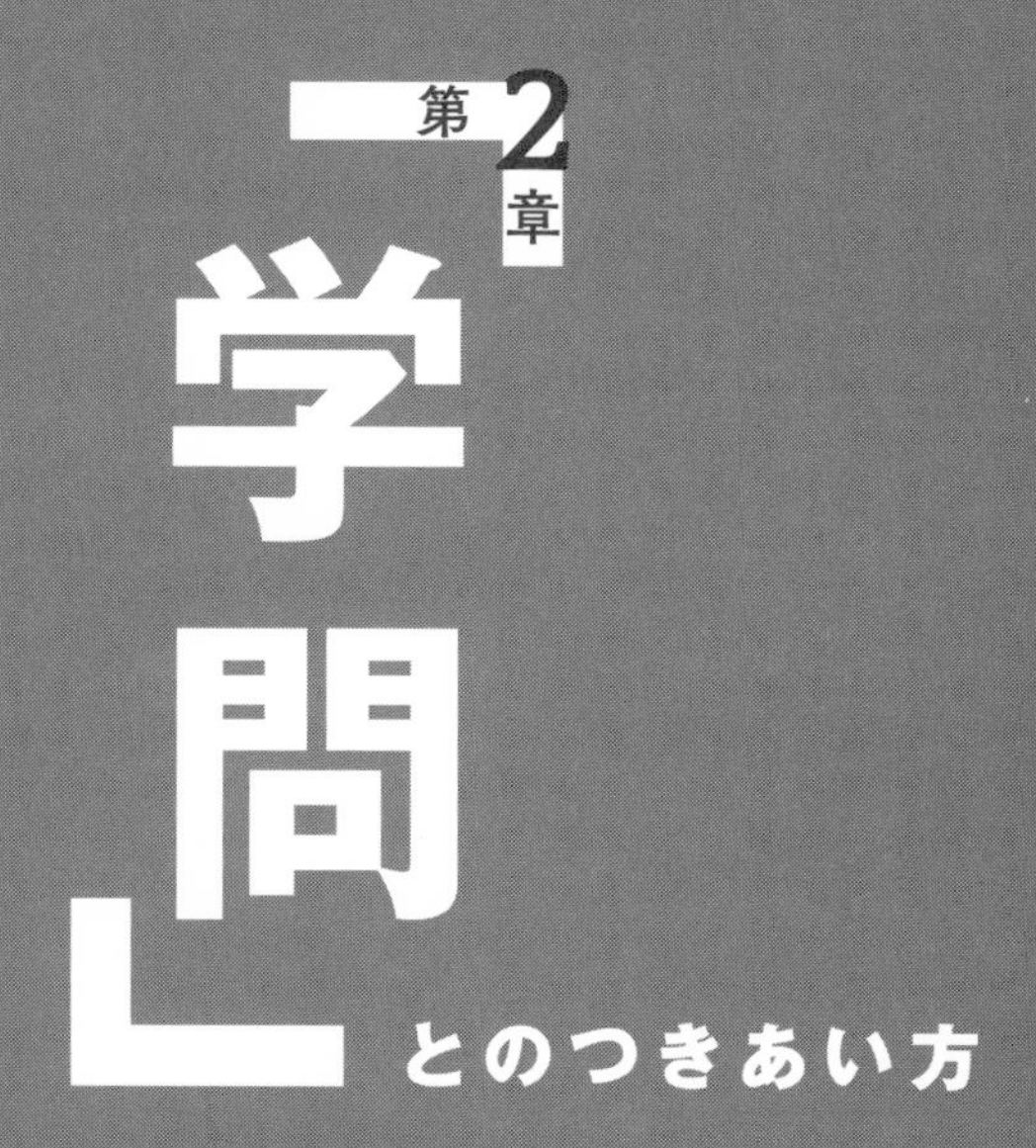

2－1

学問とは物事の道理を知ることだ

「学問とは広き言葉にて、無形の学問もあり、有形の学問もあり。（……）いづれにてもみな知識見聞の領分を広くして、物事の道理を弁へ、人たる者の職分を知ることなり。」

「文字を読むことのみを知りて、物事の道理を弁へざる者は、これを学者といふべからず。いはゆる論語よみの論語しらずとはすなはちこれなり。」（第二編）

現代語訳

学問とは広い言葉で、精神を扱うものもあるし、物質を扱うものもある。……いずれもみな知識教養の領域を広くしていって、物事の道理をきちんとつかみ、人としての使命を知ることが目的である。

文字を読むことを知っているだけで、物事の道理をきちんと知らない者は学者とはいえない。いわゆる「論語読みの論語知らず」というのはこのことである。

文字が読めて本を読むだけでは学者ではない ものの道理がわかっているのが学者だ

学問には有形と無形とがある。先人のいうことを聞いたり、書物を読んだりすることは前提だけれども、ただ文字を読むだけではしょうがない、とまずいっています。

文字は学問をするための道具であって、たとえば家を建てるときにノコギリなどが必要なように、もちろん文字を読むことは必要だ。これは当たり前のことだが、ただそれだけで、物事

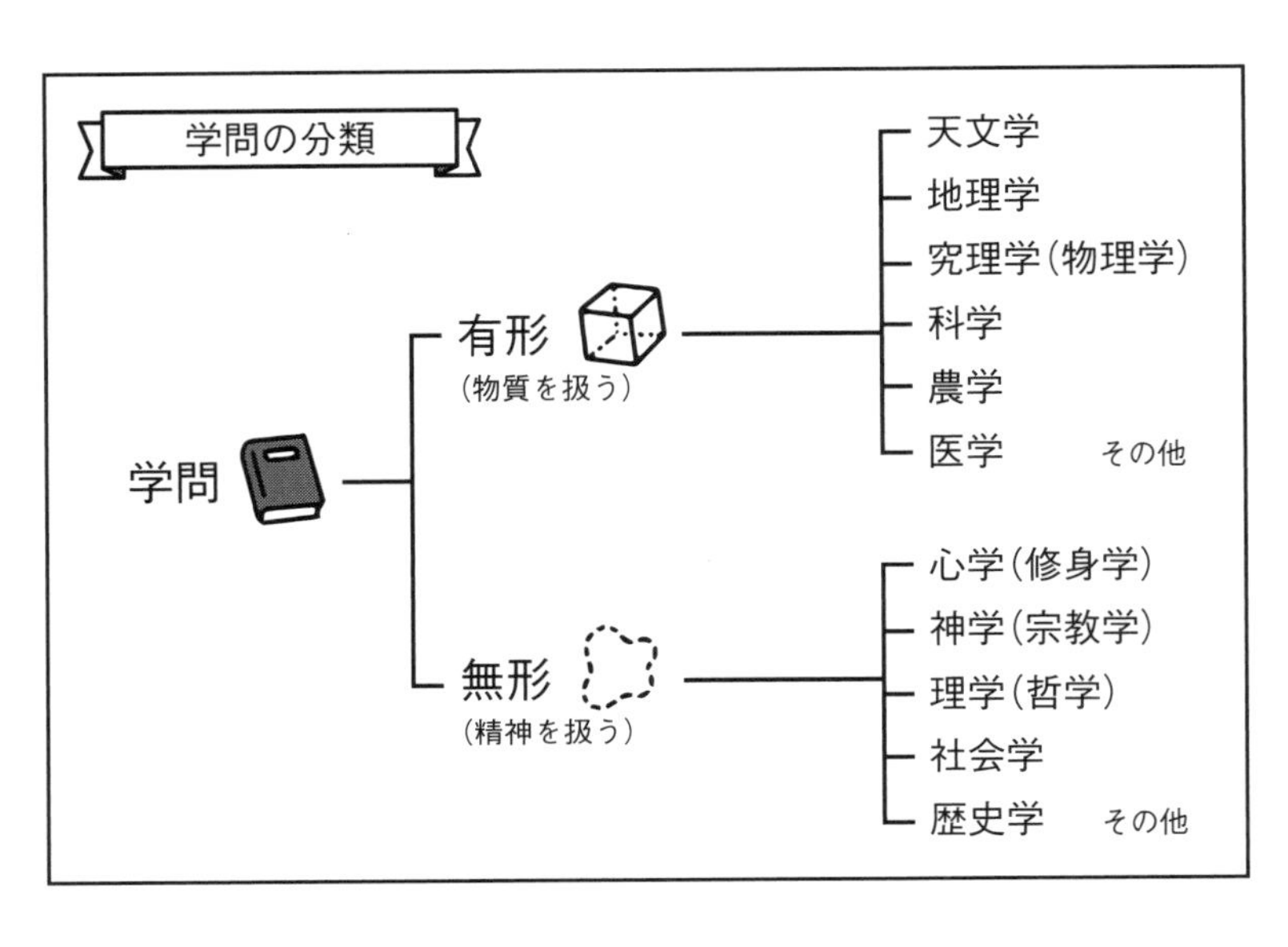

の道理がわかっていない者は、学者とはいえない、と断じています。

「論語よみの論語しらず」とは、『論語』は読んでいるけれども、『論語』の教えはわかっていないということです。ある程度書物が読めるけれども、物事の道理がわかっていないとすれば、それは学者ではないですね。

よく「学者馬鹿」とか「世間知らず」とかいわれますが、物事の本質を忘れてしまって、重箱の隅をつつくようなことばかりやっていると、それは、物事の道理をわきまえていないことになるので、学者というに値しません。

「学者」とは「学ぶ者」「勉強する人」と広い意味でとらえたほうがいいでしょう。

常に自分をアップデートして新しくし現代の問題を解決するために学問を活用しよう

「学者」としての私が心がけるのは、常に知識をアップデートして、現代の状況に対して問題意識をもって学問を活用していくということです。

たとえば、コロナ禍で、学校の授業やビジネスをオンラインにせざるを得ない状況がありました。では、この機会にオンラインのコミュニケーションに習熟しようと研究してみると、資料提示や画面共有も即座にできるし、自宅の資料などもすぐに活用できる。出席率が上がるし、さまざまなグループのディスカッションも可能で、けっこう自在でフットワークも軽いとか、オンラインのほうが便利なこともいろいろあるのがわかります。ひとつのマイナス面が、知恵というものによってプラスに転化される。

現代の問題に対応できるのが、「学者」なのです。**私たちはみな学者であって、福澤諭吉塾の塾生なのだ**、と考えましょう。それは、常に何か問題解決に向かう思考をもとう、ということになり、つまり知識だけでなく、ものの道理を理解することになるでしょう。

2－2

学問がないと、いろいろと軽く扱われる

「『実語教』に、『人学ばざれば智なし、智なき者は愚人なり』とあり。されば賢人と愚人との別は、学ぶと学ばざるとによりて出来るものなり。また世の中にむづかしき仕事もあり、やすき仕事もあり。（……）すべて心を用ひ心配する仕事はむづかしくして、手足を用ふる力役はやすし。」

「ただ学問を勤めて物事をよく知る者は、貴人となり富人となり、無学なる者は、貧人となり下人となるなり。」（初編）

現代語訳

『実語教』という本の中に、「人は学ばなければ、智はない。智のない者は愚かな人である」と書かれている。つまり、賢い人と愚かな人との違いは、学ぶか学ばないかによってできるものなのだ。また世の中には、むずかしい仕事もあるし、簡単な仕事もある。……およそ心を働かせてする仕事はむずかしく、手足を使う力仕事は簡単である。

しっかり学問をして物事をよく知っている者は、社会的地位が高く、豊かな人になり、学ばない人は貧乏で地位の低い人となる、ということだ。

学問を学ぶ人と、学ばない人との違いは賢くて裕福な人と、愚かで貧しい人の違いになる

「雲泥の差」という言葉がありますが、この世の中で、人びとの状態がこれほど違うのはなぜなのだろう。同じ権利が与えられているのに、現実にはそうなっていない。権利はあるけれども違いがあって、賢い人、愚かな人、富める者、貴人もあれば下人もある。貧富・貴賤がある。

その理由は、「『実語教』に、『人学ばざれば智なし、智なき者は愚人なり』とあり。されば賢人と愚人との別は、学ぶと学ばざるとによりて出来るものなり」となります。『実語教』は、寺子屋などで使われた修身の教科書です。

ここはとても大事なところです。**権利としては同じなのだけれども、実は学ぶか学ばないかによって、賢人と愚人の差ができてくる。**この差は、どういう感じで現れるかというと、「世の中にむづかしき仕事もあり、やすき仕事もあり」で、むずかしい仕事をする者は身分の重い人で、簡単な仕事をする者は身分の軽い人となってしまいます。

学んでいると、むずかしい仕事ができ学んでいないと、簡単な仕事しかできない

すべての人が平等で、あらゆる仕事に等しい価値がある、というふうには、この時期の福澤は考えていません。いまでは、「貴賤貧富の差」と聞くだけで、「え～っ？」となるでしょうね。「もっと平等主義を貫くべきだ」と思うかもしれませんが、現実問題として、むずかしい仕事をする人と、すごく簡単な仕事しかできない人との差はありますよね。

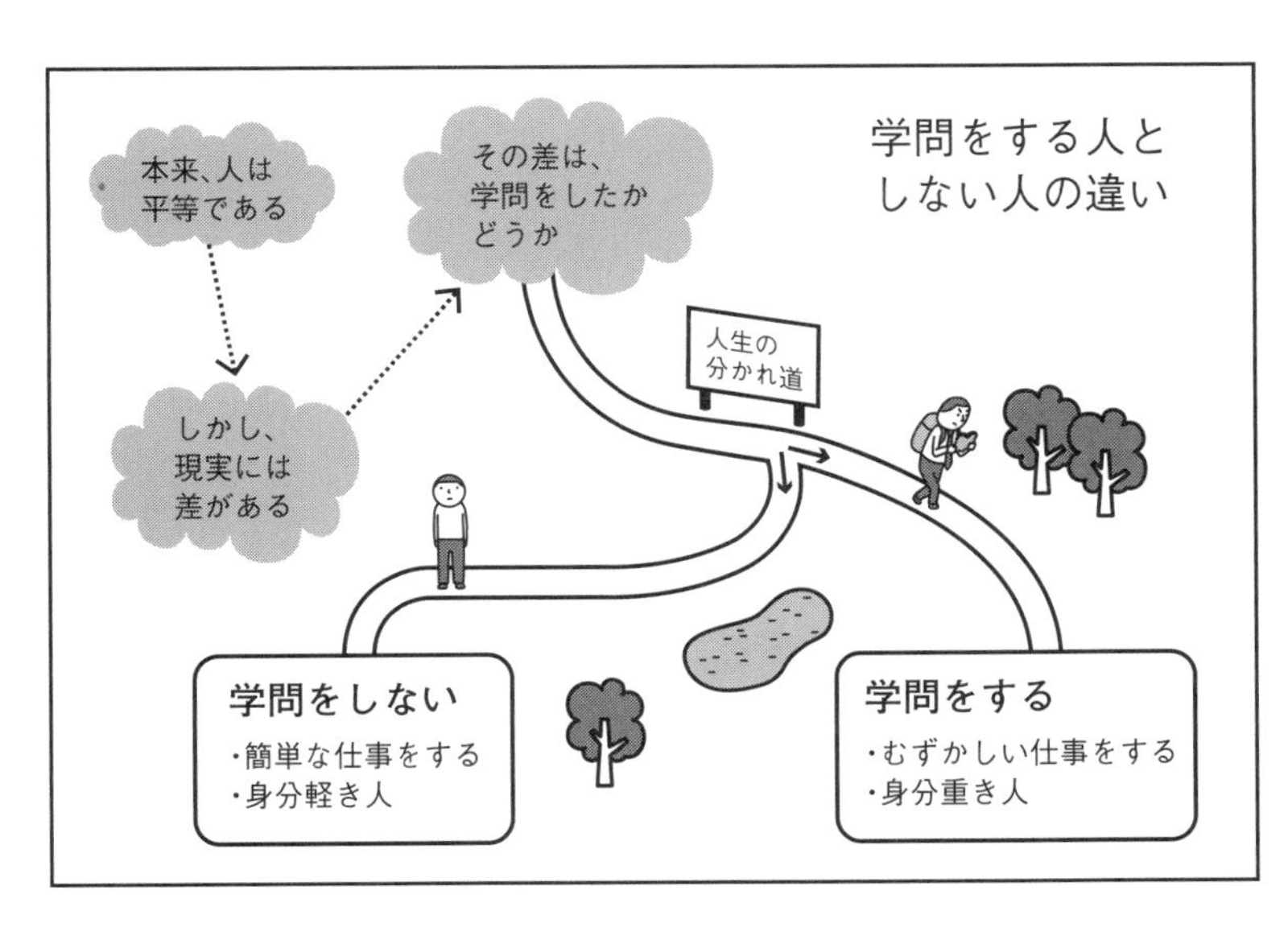

それはなぜかというと、学問をするかどうか、学ぶか学ばないかによる。これが「学問のすすめ」ということなのです。

「ただ学問を勤めて物事をよく知る者は……」のところは、学問をよく勉強して物事をよく知っていると豊かになり、そうでないと貧しくなってしまう、とはっきりといっているわけです。

福澤は、**学問というものは、実際に仕事をしていくうえで、大きな違いを生み出すものである**、ととらえています。勉強だけしていて、社会に出たときには役に立たない、といったイメージではありません。ですから次には、学問の内容とは何か、が問われてきます。

2－3

まずは「役に立つ学問」を修めよう

「学問とは、ただむづかしき字を知り、解し難き古文を読み、和歌を楽しみ、詩を作るなど、世上に実のなき文学をいふにあらず。（……）されば今、かかる実なき学問はまづ次にし、もっぱら勤むべきは、人間普通日用に近き実学なり。」（初編）

「わが邦の『古事記』は諳誦すれども、今日の米の相場を知らざる者は、これを世帯の学問に暗き男といふべし。」（第二編）

現代語訳

学問というのは、ただむずかしい字を知って、わかりにくい昔の文章を読み、また和歌を楽しみ、詩を作る、といったような世の中での実用性のない学問をいっているのではない。……そうだとすれば、いま、こうした実用性のない学問はとりあえず後回しにし、一生懸命にやるべきは、普通の生活に役に立つ実学である。

『古事記』は諳誦しているけれども、いまの米の値段を知らない者は、実生活の学問に弱い人間である。

実のない学問を修めるよりは まずは世の中の役に立つ「実学」を勉強しよう

学問といっても、むずかしい文字を知って、古文を読んだり和歌を楽しむようなことだと、学問を修めたからといって仕事に直結はしない。そうではなくて、「実学」を重んじよう、というのが次の主張になります。

一方に実なき学問があるとすれば、一方には実のある学問がある。これが実学です。

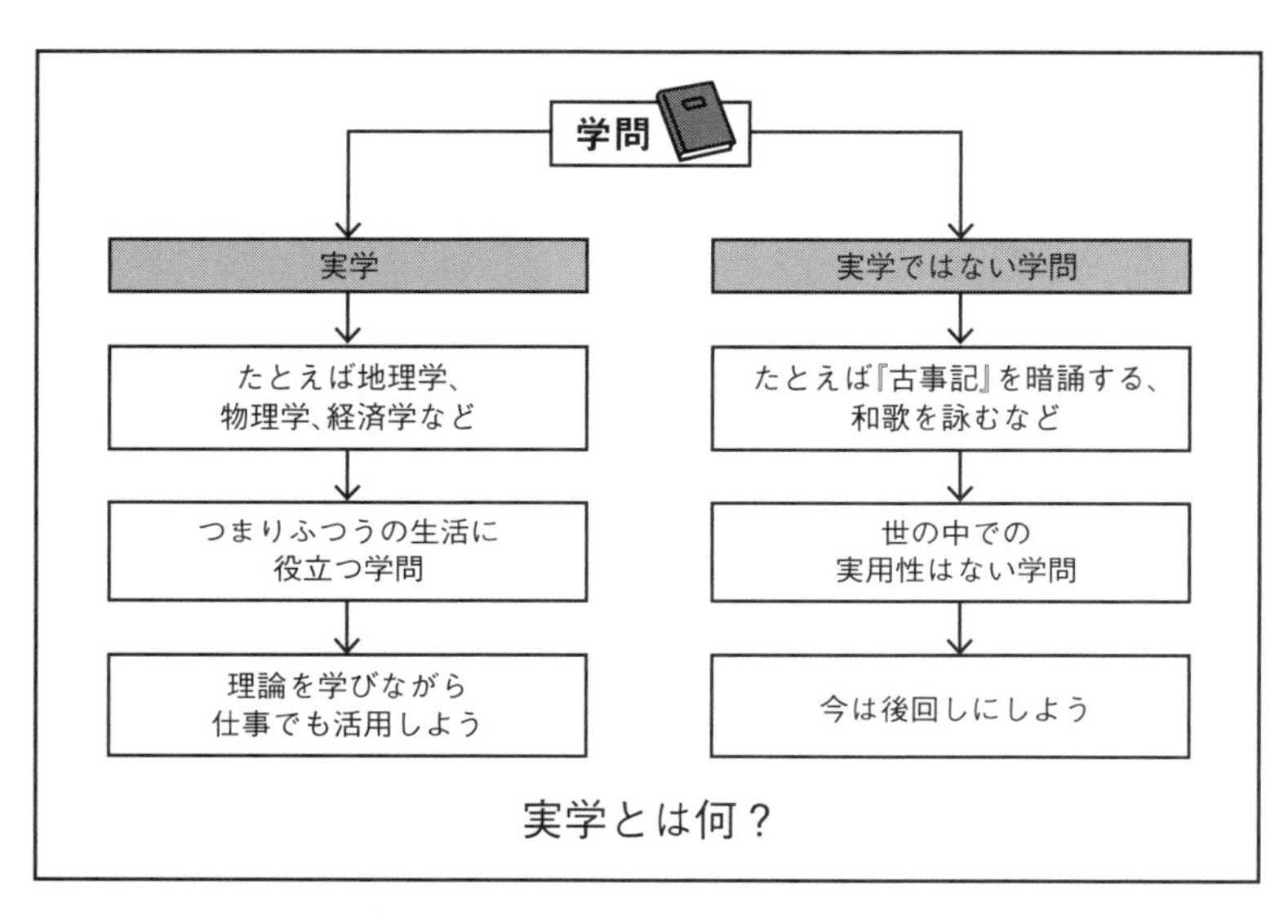

実学とは何？

『古事記』が読めて暗誦できても、米の相場がわからないようではしょうがない。いまの時代の実際に役立つように勉強をしなさい。

そして「もつぱら勤むべきは、人間普通日用に近き実学なり」とあり、日常生活で文字を読んだりすることは必要だけれど、和歌を詠むようなことは生活の中ではあまりしない、その代わりに、地理学や物理学、歴史学、経済学といった世の中の役に立ついろいろな学問、そうした実学にいそしもう、というわけです。

和歌などの文学にも、もちろん価値はあります。ただ、近代化を一気になし遂げなければいけない切迫した時代状況では、世の中の実際の生活に直接役立つ学問をまずは優先させよう、という主張です。

実際に仕事をして生活しながら学ぶのが正しい学問の姿だ

孔子は実践をいちばん重んじました。孔子の言葉は引用するけれど、それを実践していない人は、たとえば経済学を勉強したが、実際の経済はわからないとか、あるいは経営コンサルタントの勉強をしてその指導もしているが、実際に自分が会社を経営をするとなるとうまくいかない、といった人のことです。そうすると、「その経営コンサルタントってなんなの？」となってしまいます。

実際には理論と実践はなかなか直結しないものですから、理論そのものに価値がないとはいえませんが、できうれば、経営学を修めた人は、実際に経営してもある程度はできるようでありたいものです。

逆にいうと、実地に即して鍛え上げていく学問、本も読めば実地で試してもみる、**経営しながら学問をする、というのが学ぶということの正しい姿**なのです。多くの人が自分の仕事をしながら、学問を活用することが大切なのです。

2－4

時勢に合った学問はなお役に立つ

「数年の辛苦を嘗め、数百の執行金を費して、洋学は成業したれども、なほも一個私立の活計をなし得ざる者は、時勢の学問に疎き人なり。これらの人物は、ただこれを文字の問屋といふべきのみ。その功能は飯を食ふ字引に異ならず。国のためには無用の長物、経済を妨ぐる食客といふて可なり。ゆゑに世帯も学問なり、帳合ひも学問なり、時勢を察するもまた学問なり。」（第二編）

現代語訳

何年も苦労し、高い学費を払って西洋の学問を修めたけれども、独立した生活ができない者は、いまの世の中に必要な学問に弱い人間だといえる。こうした人物は、ただの「文字の問屋」といってよい。「飯を食う字引」にほかならず、国のためには無用の長物であって、経済を妨げるタダ飯食いといえる。実生活も学問であって、実際の経済も学問、現実の世の中の流れを察知するのも学問である。

いくら学問を修めたからといって生活が成り立たないのではどうしようもない

洋学は修めたけれども、自分の生活を成り立たせることができないのだったら、いまの時勢の学問に疎い人になってしまう。

これは現在でいうと、インターネット、ＩＣＴ（情報通信技術）といったものが時勢の学問ですけれども、これをまったく知らないとなると、新型コロナウイルスの全国的流行によって、オンラインで会議や授業をしなければならないときに、いまの時代についていけないことになります。

たとえば一方にインターネットを使って営業の幅を一気に広げる会社があり、またもう一方にはそういう工夫をまったくしないで、ジリ貧になっていく会社があるとすると、時勢の学問に疎いままでは、生活が成り立ちにくいことにもなってきます。

いまの時勢では、どんなものが学問となるか それを学んで仕事に生かすことが大事

いまはインターネット関連の会社が成長企業となっていますが、アメリカの企業などはいち早くこうしたものを取り上げて、ＧＡＦＡ（Google・Amazon・Facebook・Appleの４社）のように世界中の富を集めています。このような状況に乗り遅れてしまうと、時代に取り残されて、生活も危うくなってしまいますね。

ここでは「文字の問屋」「飯を食ふ字引」「経済を妨ぐる食客」といった表現が、福澤一流のユーモラスな比喩で、とてもおもしろいところです。

役立たず3妖怪

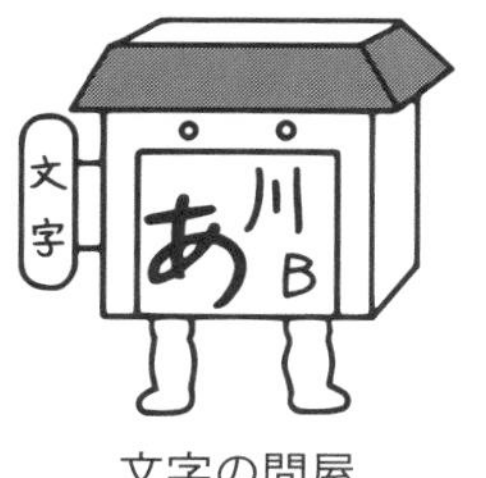

文字の問屋

飯を食う字引

経済を妨げる食客

また、「世帯」（生活）も学問、「帳合ひ」（経済）も学問、「時勢を察する」のもまた学問である。和漢洋の書を読むだけでは学問とはいえない、と断じています。

これは学問をするということのイメージの問題ですね。もちろん本を読むことは大事ですが、**それぞれの生きている時代で、それぞれの仕事でどれだけ新しいものを取り入れてチャレンジできるのか**、こうしたことができないと、学問をしているとはいえない。

活用する、実際に試してみる、ということが、福澤の中では大事だったのです。

2－5

小さくまとまってはいけない

「人として自ら衣食住を給するは難きことにあらず。この事をなせばとて、あへて誇るべきにあらず。（……）禽獣（きんじゅう）魚虫、自ら食を得ざるものなし。（……）蟻（あり）のごときは遥かに未来を図（はか）り、穴を掘りて居処（きょしょ）を作り、冬日（とうじつ）の用意に食料を貯（たくわ）ふるにあらずや。しかるに世の中には、この蟻の所業をもつて自ら満足する人あり。（……）この人はただ蟻の門人といふべきのみ。生涯の事業は蟻の右に出（い）づるを得ず。」（第九編）

現代語訳

人として自分で衣食住を得るのは何もむずかしいことではないのだ。これができたからといって、別にいばるほどのことではない。……動物、魚、虫、自分で食をとらないものはない。……蟻に至っては、はるかに未来のことを考え、穴を掘ってすみかを作り、冬に備えて食料を蓄えるではないか。なのに、世の中には、この蟻レベルで満足している人もいる。……この人はただ蟻の弟子というくらいのものなのだ。生涯やったことも、蟻を超えることができない。

ただ働いて食べていけるというだけでは蟻が生きているのとどこも変わらない

額に汗して自分で働いて、自分で食べていく、それはむずかしいことではないし、誇ることでもない。それだけでは、まだ人間としては足りないのだ、といっています。

ただ、自分で自分の飯を食っているだけでは、鳥や動物と同じである。蟻を見てみなさい、将来のために食料も貯めているではないか。ところが、その蟻と同じことをしているだけで満足している人がいる。そのように、働いてはいるが、ただ飯を食っているだけでは、蟻同然である、ということです。

「この人は……」は、こうした人たちはただ蟻の門人（弟子）になっているだけだ。生涯にやり遂げた事業も、蟻を超すことはできない。衣食を求めて家を作る際には、額に汗を流したかもしれないし、心配事もいろいろあったろうが、それだけでは万物の霊長である人間の目的を達したことにはならない、と警告しています。「蟻の門人」とは福澤諭吉らしい、愉快なたとえですね。

人並みの小さな成果で満足しないで人びとのためになる、もっと大きな仕事をしよう

さらに、福澤は「**われわれの仕事は、今日この世の中にいて、われわれの生きた証を残して、これを長く後世の子孫に伝えることにある**」と述べています。ただ数冊の教科書を読み、商人や職人、小役人になって、年に数百万程度の金を得て、わずかに妻子を養うことで満足していられようか、それでは、他人の害にならないという程度であって、他人を益するほどには至っ

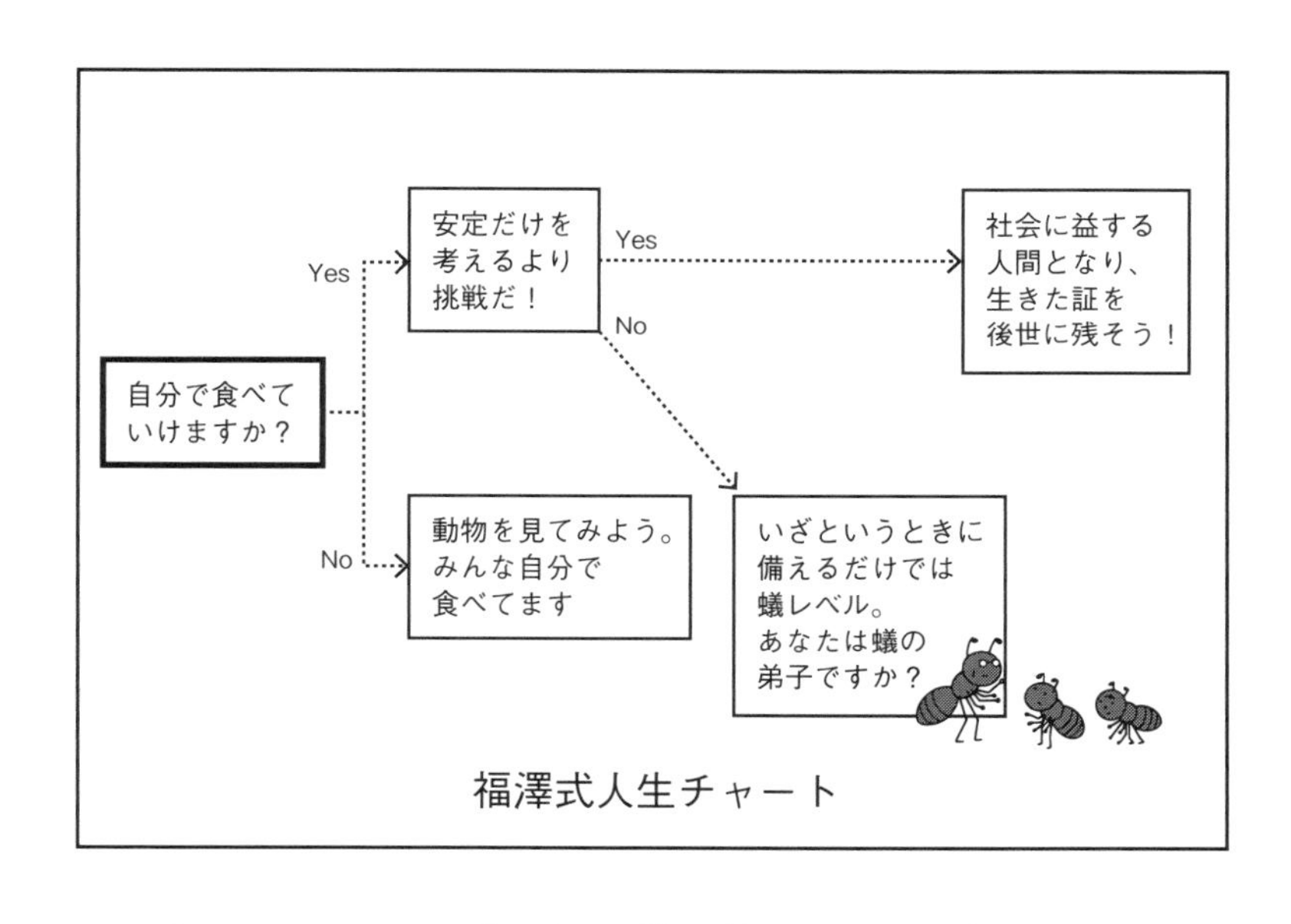

福澤式人生チャート

ていない、というのです。

要するに「**他人を益する者になれ**」ということですね。単に成功するということではなく、社会に益する人間になれ。ちょっと気合の入った励ましの言葉です。

第九篇と第十篇は、福澤の郷里、中津の若者に対して、大志を抱けと激励した文章です。最も『学問のすすめ』らしい箇所であり、「学問するということは、ただ自分で稼いで食べていくとか、金を貯めるとか、そういうことのためではないだろう。この変化の激しい時代に、社会に益する何かをしようではないか、もっと上を見なさい」と若い後輩たちを叱咤激励しています。

2－6

身のうちに入れた学問は、外に出そう

「学問の要は活用にあるのみ。活用なき学問は無学に等し。」（第十二編）

現代語訳

学問で重要なのは、それを実際に生かすことである。実際に生かせない学問は、学問でないのに等しい。

たくさんの本を読んで学んだつもりでもその本がなければ何もできないのでは学問にならない

学問は活用しなければ、学んだことにはならない、ということです。

この『学問のすすめ』十二編には、ほかにも次のような話が載っています。

ある書生が、江戸で長い間、先生の教えを写しとって数百巻の写本となった。これで学問が成ったと思い、東海道を下って故郷に帰ります。そのとき、写本はすべて船に積んで別途送りました。ところが遠州灘でその船が難破してしまった。自分だけは帰国できたが、写本、つまり学問は全部海に流れてしまい、元の無一物になってしまった、という話が出てきます。

また、自分が読んだ洋書を東京に置いたまま田舎に帰ったとすると、親戚や友人たちに「わが輩の学問は東京へ残し置きたり」などと言い訳するはめになる、という話も出てきます。これらはみな、「学問が自分の身についていないぞ」と、忠告しているのですね。

本を読んだら、本を書いて、人にも話す そして学問を人の役に立つよう活用せよ

生き生きとしていない学問、生活の中で活用していない学問は学問ではない。ただ書物を写したり、原書を読んでいるだけでは、読む力がつくだけのこと。自分自身で考え、使える学問になっていません。

学問を学ぶことによって頭の働きがよくなる、そしていろいろ社会的な活動ができる。その社会的な活動のところまで、学問として要求したのです。むしろ、「**活動することこそが学問なのだ**」と福澤はいっています。

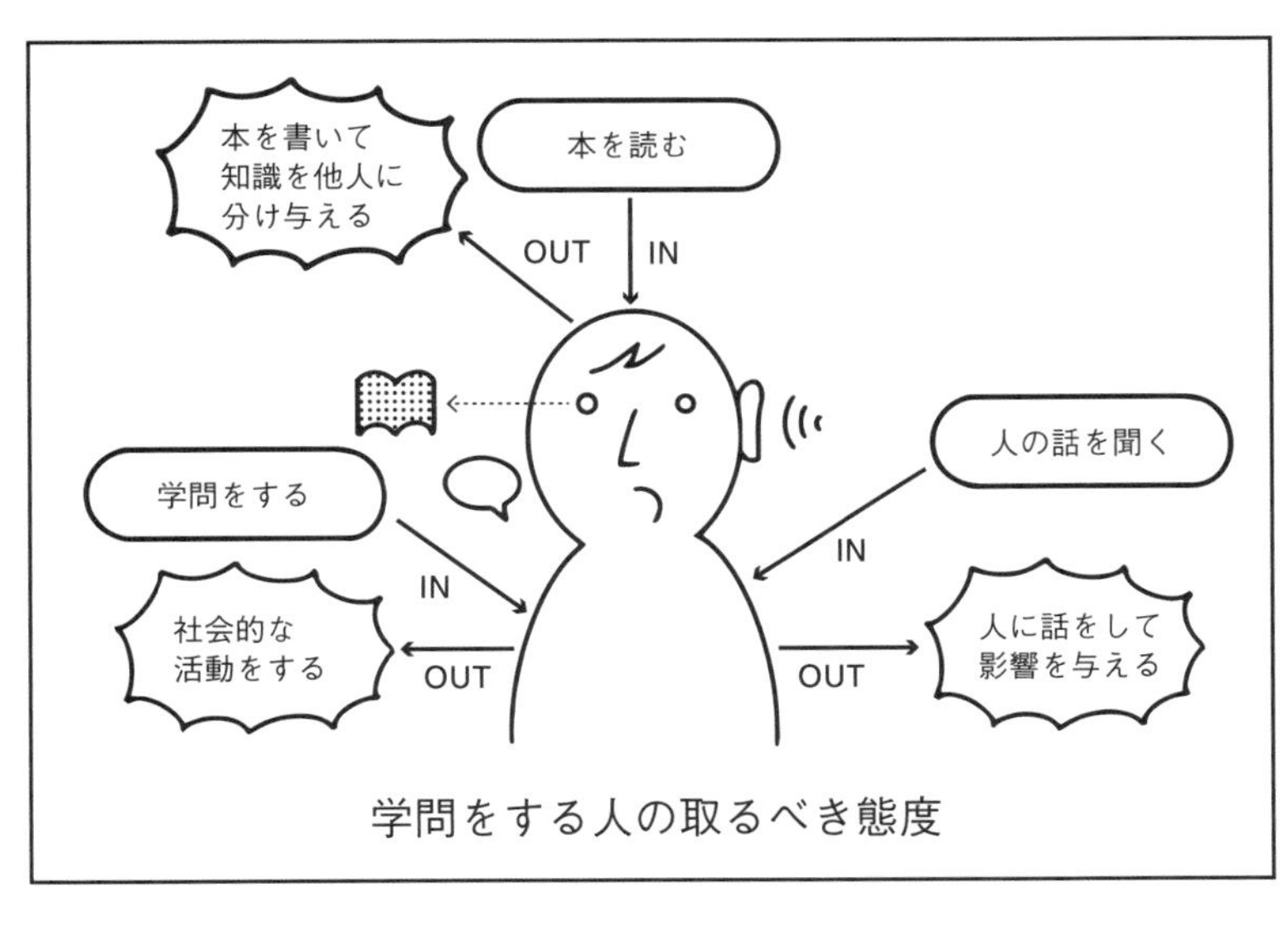

学問をする人の取るべき態度

学問は精神の働きが大事なのだから、本を読むだけでなく、本を書きなさい、また人にその内容を話しなさい、そうして初めて学問をする人といえるのだ、ということです。

非常に実践的な学問観ですね。ただ勉強する、資格だけ取る、学歴だけ得るとか、そうしたことでは全然ない。もっと学問を活用して、社会的な活動に活かせ。これは非常に重要なメッセージです。

大学で学んでいる学生たちには、ぜひともこのメッセージを心の中に刻み込んでおいてほしいものです。

2－7

スケールの大きな成功を目指せ

「学問に入らば大いに学問すべし。農たらば大農となれ、商たらば大商となれ。学者小安に安んずるなかれ。粗衣粗食、寒暑を憚(はばか)らず、米も搗(つ)くべし、薪(まき)も割るべし。学問は米を搗きながらもできるものなり。人間の食物は西洋料理に限らず、麦飯(むぎめし)を食(くら)ひ、味噌汁を啜(すす)り、もつて文明の事を学ぶべきなり。」（第十編）

現代語訳

学問をするなら大いに学問をするべきである。農民ならば、大農民になれ。商人なら、大商人になれ。学者ならば、小さな生活の安定に満足するな。粗末な着物、粗末な食べ物、暑い寒いを気にせず、米も搗くのがよい、薪も割るのがよい。学問は米を搗きながらでもできる。人間の食べ物は、西洋料理には限らない。麦飯を食って、味噌汁をすすって、文明の事を学ぶべきである。

学問でも農業でも商業でも、やるのであれば、スケール大きくやろう

「学問に入らば……」は、学問であろうと、農業や商業であろうと、やるならば小さくせずに、大きなスケールでしなさい。そして粗食に耐えて米も搗けば薪も割ろう。「**学問は米を搗きながらもできるものなり**」これはとても元気が出る言葉ではないかと思います。

本多静六（ほんだせいろく）（1866―1952）という先生は、実際に米を搗き、農作業をしながら苦学し

て、東大の林学の教授になりました。ほんとうに米を搗きながらも勉強した人がいたのです。

本多静六の学問の仕方は、徹底していました。米を搗きながら、本を暗記するのに慣れてくると、むしろリズムがあっていいと感じるようになります。学問に命を賭ける気合でドイツに留学します。お金についても考え方がはっきりしていて、まずは独立生活ができるだけの財産をこしらえることが、自由に学問するために大事だともいっています。収入の4分の1を天引きにして貯金するやり方をすすめています。

自分の生活安定だけを考えないで世の中を変えるような優秀な人になろう

まずは、『学問のすすめ』を読む。そして学問をするのならば、**自分一身の成功といったレベルではなく、世の中に益するために勉強しなければいけない**のだと、強い思いをもって学生時代を過ごす。そうすれば、大志を抱いた生き方ができます。

「志はどういうところにありますか」と聞かれて、「まあまあの年収の会社に入れればありがたいっス」といった答えをするようでは、志が足りないということですね。

本多静六

- 1866年、埼玉生まれ
- 父の借金で一家は困窮。静六は一念発起、米を搗きながら『論語』を読み、猛勉強で東京農林学校（現在の東大農学部）を首席で卒業
- 独自の「四分の一天引き貯金法」で巨万の富を築く
- 日比谷公園の設計や明治神宮の人工の森を造るなど、「日本の公園の父」と呼ばれる

本多静六という人

私は明治大学の文学部で教えていますが、学生たちにレベルの高い志を伝えたいと思って、教室に入ると最初の挨拶では、必ず「優秀なみなさん、今日もこんにちは！」といいます。つまり「志に満ちている優秀なみなさん」「教養の日本代表を目指しているみなさん」みたいな感じで、半分ジョークのようにいう。毎回いっていると、少しずつ目的意識がはっきりしてくるのを感じます。

大学で勉強をしているような人たちであれば、自分の生活のことだけを考えているようでは、社会はよくなりません。私利私欲だけで終わっては、ちょっと虚しい。志は高くもちたいですね。

2－8

スピーチの力をつけよう

「演説とは英語にて『スピイチ』といひ、大勢の人を会して説を述べ、席上にてわが思ふところを人に伝ふるの法なり。（……）西洋諸国にては演説の法最も盛んにして、政府の議院・学者の集会・商人の会社・市民の寄り合ひより、冠婚葬祭、開業開店等の細事に至るまでも（……）必ずその会につき、あるいは会したる趣意を述べ、あるいは人々平生（へいぜい）の持論を吐（は）き、あるいは即席の思ひつきを説きて、衆客に披露（ひろう）するの風なり。」（十二編）

現代語訳

「演説」というのは、英語にて「スピイチ（speech）」といって、大勢の人を集めて説を述べ、席上にて自分の思うところを人に伝える方法である。……西洋諸国では、この演説が非常に盛んで、政府の議会、学者の集会、会社、市民の集まりから、冠婚葬祭、開業開店などの瑣事であっても、……必ずその会について、あるいは会の趣旨について、あるいは平生の持論を、あるいは即席の思いつきを説いて、集まった人に披露する風習がある。

外国では、集まりがあると必ずスピーチを披露する 日本でもこれを盛んにしよう

「演説とは英語にて『スピイチ』といひ」とあります。私たちは「演説をする」とよくいいますが、「演説」という言葉を「speech」の訳語に当てたのは福澤諭吉なのです。

日本では、古くから演説の習慣があまりないので、演説が上手か下手かというと、日本人はいまだに苦手なところがあります。お寺でする説法などは演説の部類に入りますが、「西洋諸

国にては演説の法最も盛んにして、政府の議院・学者の集会・商人の会社・市民の寄り合ひ」から冠婚葬祭まで、十数名ほどが集まると必ず誰かが演説する。

演説とは、プレゼンテーションのようなもので、いまの時代には最も必要なものだと思います。演説、すなわち「プレゼン」といい換えてもいいかもしれません。

日常、挨拶の言葉や演説を聞く機会は多いのに、話がつまらないと感じる場合が多いですね。演説は自分の考えをみんなの前ではっきりいう勇気を必要とします。そこで勇気と言語能力をもつことが大切になります。まず勇気をもってきぱきと話す。ですから、みんなの前で話をするには、練習が必要なのです。

プレゼン力をアップさせるために勇気と言語力をつけておこう

福澤諭吉は、明治6、7年ごろから演説を奨励して、慶應義塾に三田演説会を作りました。そして明治8（1875）年、塾内に三田演説館を建てたのです。演説が大事だ、それでは練習する場所を作ろうと、すぐに演説館を建てた。翌年ですから動きが早い。そこが、福澤諭吉

日本最初の演説講堂。慶應義塾大学の三田キャンパスに現存する。福澤が自らの資金で、400 ～ 500 人ほど入れる演説会場として建てた。「三田演説会」は、いまでもこの演説館を会場に原則、年２回開催されている。国の重要文化財。

三田演説館

の優れているところです。

本来はこの演説館を中心にして演説の気風がどんどん広まり、みな練習して日本中に演説ブームが起き、日本人が演説上手になるはずだった。しかし、そうならなかったのは、非常に残念なことでした。

自分の意見をいったり、あるいはプレゼンテーションというかたちで情報を紹介する、といったことは日常でとても大事なことです。

これには勇気と言語力が必要となりますから、日頃練習をしておくとよいでしょう。私が大学で教えているプレゼンの練習については、１０１ページのコラムをご覧になってください。

コラム　齋藤孝からの「学問のすすめ」2

■右手には「伝統的な学力」を、左手には「新しい学力」を

2020年前後から学習指導要領が学校に導入されて、これからの「新しい学力」を養うことになりました。その柱は、「思考力」・「判断力」・「表現力」の三つです。自分の頭で考えて、判断し、表現をしていく、ということですね。

これまで大学の入学試験では、表現力や判断力を求められたことはあまりありませんでした。そんな力をテストしようという意図が、大学入学共通テストの導入にはありました。しかし、難航しました。表現力や判断力を問う入試問題を実際に作るのは非常にむずかしいものです。ですから、基本的に入試問題はスタンダードなものでいいのでは、と私は思っています。

中学校・高等学校で身につけるべき力として、思考力・判断力・表現力を、授業で積極的に育てるのはいいことだと思います。学習のあり方としては「主体的」・「対話的」・「深い学び」の三つが目標になっています。

自分で積極的に動くのが「主体的」。他の人と話し合ったり、お互いにアイデアを出し合ったりして協力し合うのが「対話的」で、一人でやるのではありません。そして薄っぺらな話し合いではなくて、深い研究心、探求心をもって勉強するのが「深い学び」です。この3点が、思考力・判断力・表現力の3点とともに、日本がこれから目指そうとしている新しい学力というものです。

しかし、これまでのような「伝統的な学力」もたいへん大事です。伝統的な学力とは、いままで先人が培ってきた学問をしっかりと身につけることです。いわば文化の伝言ゲームで、文化を継承していくわけですね。

たとえば、「考える」といいますが、世界史について何にも知らなければ、歴史について「考える」ことすらできない。ニュートン物理学を知らないで物理について考えることはできませんね。ですから伝統的な学力は非常に大切です。その学問内容をしっかり身につけて記憶する、そうして初めて「考える」こともできるのです。

これからは暗記ばかりでなく、新しいものを生み出す創造性が必要だといわれることがありますが、これはちょっと危険な論説かと思います。実際に大学で教えていると、受験勉強をして伝統的な暗記などをしてきた学生のほうがクリエイティブでもある、そういう実感があります。ある大学の調査では、実際にそのような結果が出ています。

一見、個性的な方法で入試をしたほうが、その後クリエイティブな能力が発揮できる学生が来る、と思いがちですが、実はいままでのような暗記中心の勉強で入試を通ってきた学生のほうが、クリエイティブな能力は高かった。そういう皮肉な調査結果が出てしまったのです。

福澤諭吉も、地道な語学の勉強や読書をしています。幼いころから漢文を読み、オランダ語や英語を読み、海外の文献を読んで勉強しています。これは「伝統的な学力」です。福澤のように伝統的な学力を身につけた人間が、新しい社会に向かって提言をしているのですね。

『学問のすすめ』に照らしてみますと、これからの学力については、冷静に対処すればよいと思います。福澤諭吉は、自身は伝統的な学力を身につけ、なおかつ開かれた人間でした。これからの学生たちも、右手に「伝統的な学力」を、左手にアイデアを生み出す力と表現力という「新しい学力」を、そしてその両手でがっちりものをつかむ、というイメージでいいのではと思います。

日本がいちばん得意であった、「まじめにコツコツ勉強する」ことは、ほんとうは間違っていなかったと思います。私たちは、福澤諭吉がやってきたことをトータルに、学ぶ必要があるのです。

■「15秒プレゼン」で、みんなの前で話すのはとても気持ちがよい

学校でも会社でも、プレゼンテーションをする機会が増えてきました。会議などで人を前にしてプレゼンテーションするときに、パワーポイントのようなプレゼンソフトを使って説明することがよくありますね。ところが、これを禁じている会社があるそうです。

パワーポイントを使って、いろいろな映像をスライドショーのように提示すると、いきおい受動的な受け取り方になります。また説明もダラダラと長くなりがちで、しかも印象に残らない。おまけに部屋も暗くしますから眠りこけちゃう人もいたりする。

このように、パワーポイントは便利そうに見えますが、意外に安易で効率が悪いという側面もあります。それよりは「きちんと文章にまとめたほうがよい、文章を書くには頭も使うので好都合だ」という意見もあるようです。

プレゼンテーション、演説というものは人の心を動かすことが大事ですから、あまりにもスマートに仕上がってしまったスライドショーでは、心が動きにくいということもあります。

では、ほんとうに必要なプレゼン力とは、どういうものでしょうか。たとえば『不都合な真実』というアメリカ元副大統領のアル・ゴアさんの演説を記録した映画がありました。これは

映像化の技術を使って、各種のデータを上手に提示しながら、地球温暖化の危険をわかりやすく効果的にプレゼンしたものです。このような例を手本にして、プレゼンテーションのやり方も、これから工夫していく必要があるでしょう。

私は、大学の授業でプレゼンの練習をしています。その方法は「15秒プレゼン」といって、「なんでも15秒で話そう」という課題です。

たとえば自分の好きな本を紹介するのならば、「この本の読みどころはここです」とか、「こんな言葉があります」と引用したり、また自分の近況報告ならば、「先週はこういう映画を見に行き、○○に感銘を受けました」といった内容を、とにかく15秒で話してみる。無駄なく、くっきりとして意味のあることをいう練習をします。

次にこの15秒を30秒にのばす。30秒ができたら1分にのばす。こうして、てきぱきと必要なことを話す「てきぱきプレゼン」で練習をするのです。

クラスの100人を相手に一人が立って話すのは、かなりドキドキします。でもそれをひとつ乗り越えると、最初は「えーと、えーと」と焦っていた学生も、次の週には「もう1回やらせてください」といってきます。これ、けっこうクセになるんですね。

みんなの前で話すというのは、勇気も必要ですが、実は心地よいことでもあるのです。

第3章
「他人」とのつきあい方

3－1

誰にでも同じように「人権」がある

「『天は人の上に人を造らず、人の下に人を造らず』といへり。されば天より人を生ずるには、万人は万人みな同じ位にして、生まれながら貴賤上下の差別なく、万物の霊たる身と心との働きをもつて、天地の間にあるよろづの物を資り、もつて衣食住の用を達し、自由自在、互ひに人の妨げをなさずして、おのおの安楽にこの世を渡らしめたまふの趣意なり。」（初編）

現代語訳

「天は人の上に人を造らず、人の下に人を造らず」といわれている。つまり、天が人を生み出すにあたっては、人はみな同じ権理（権利）をもち、生まれによる身分の上下はなく、万物の霊長たる人としての身体と心を働かせて、この世界のいろいろなものを利用し、衣食住の必要を満たし、自由自在に、また互いに人の邪魔をしないで、それぞれが安楽にこの世を過ごしていけるようにしてくれているということだ。

みんなにとっての新しい国のイメージ、スタート地点が、これでできあがった

『学問のすすめ』で最も有名な言葉で、いわばこの本の考え方の前提となるものです。「**天賦人権説**」という、アメリカの「独立宣言」の中にある考え方で、「すべての人は神から平等に作られている、人はみな同じ権利をもっている」ということです。ここでは、近代の社会の前提となるものを確認しています。

アメリカ

われわれは、以下の事実を自明のことと信じる。すなわち、すべての人間は生まれながらにして平等であり、その創造主によって、生命、自由、および幸福の追求を含む不可侵の権利を与えられているということ。(「独立宣言」1776年7月)

フランス

第1条(自由・権利の平等)

人は、自由、かつ、権利において平等なものとして生まれ、生存する。社会的差別は、共同の利益に基づくものでなければ、設けられない。

(「フランス人権宣言」1789年8月)

日本

第十四条

すべて国民は、法の下に平等であつて、人種、信条、性別、社会的身分又は門地により、政治的、経済的又は社会的関係において、差別されない。

(「日本国憲法」1947年5月)

世界各国の人権に関する宣言

それまでの江戸時代では、身分制度もあり、封建社会ですから、完全に平等という考え方ではありませんでした。ですから、明治になって新しい国を作っていくときに、「すべての人が平等に権利を与えられているのだ」ということをみんなに教えたのです。新しい国のイメージは、天賦人権説に基づいていました。

『学問のすすめ』が出版されたときはもう明治初期で、江戸幕府はありませんが、考え方自体には、まだ古いものが残っていました。そこで、**江戸幕府よりも「天」のほうが上にあり、自分たちはその「天」から権利を与えられている**、というふうに考えよう、そのように人びとを啓蒙したわけですね。

明治からは新しい社会が始まる、その社会はみなが同じ位であって、貴賤上下の別はない、差別もないのだ。そこをまずスタート地点として確認しよう、というわけです。

権利は天に与えられたものだが、当たり前のことではなく権力と闘って徐々に獲得されてきた

アメリカの「独立宣言」は1776年で、その後ずいぶんたっても差別は残っていますが、基本的な考え方としては、すべての人が同等の権利、人権をもっている。この近代の国家観は、いまの私たちには理解しやすいものです。フランスの「人権宣言」も、この考え方を基本にしており、現在の日本国憲法でも同じです。**自由自在で、お互いに他人の邪魔をしないようにして、安楽にこの世を渡れるようにしたい**という趣旨です。

現在、私たちが憲法で保障されているいろいろな権利は、実は当たり前のことではなくて、人民が権力と闘うことによって、徐々に獲得されてきたものなのです。その証が「独立宣言」であり「人権宣言」です。

こうした点を確認して、「みんな目を覚まそう、権利は平等なのだ」と訴えたのでした。

3－2

自分の自由と他人の自由がぶつかるとき

「ただ自由自在とのみ唱へて分限を知らざれば、我儘放蕩に陥ること多し。すなはちその分限とは、天の道理に基づき、人の情に従ひ、他人の妨げをなさずして、わが一身の自由を達することなり。自由と我儘との界は、他人の妨げをなすとなさざるとの間にあり。」（初編）

現代語訳

ただ自由とだけいって「分限（義務）」を知らなければ、わがまま放題になってしまう。その分限とは、天の道理に基づいて人の情にさからわず、他人の害となることをしないで、自分個人の自由を獲得するということだ。自由とわがままの境目というのは、他人の害となることをするかしないかにある。

人の迷惑にならない行為が、自由であり人に迷惑をかけてしまうのは、わがままとなる

人はみな自由自在なのだけれども、「自由」とはどういうことか。それを端的に表現していますｎみな自由自在に動きたいのだけれど、ルールや限界をまったく設けないと、「わがまま」になり、互いにぶつかり合ってしまう。**人の情、また天の道理に従って、基本は他人の妨げをしない**、ということです。

そして、「自由と我儘との界は、他人の妨げをなすとなさざるとの間にあり」。

自由とわがままを比べてみると、何が違うか。それは、他人の妨げをするのがわがまま、妨げをしないのが自由、となります。

たとえば電車の中で携帯電話を使って話すことは、携帯電話の普及しはじめのころにはけっこうやっている人がいました。携帯電話で電車の中で話すのは、一見自由にしてもよいような感じがしますけれども、これは周囲の人の妨げになります。話し声が気になったり、それを聞かされるのも何か疲れますよね。これはやっぱり他人の妨げになっている。ですから、みんながなんでもどこでも自由にできる、というわけではありません。

自由とわがままが区別され、社会的なルールが作られていく

ところが、外国では車中の携帯電話が当たり前になっている国もあります。つまり、何が妨げになるか、ということも絶対的なものではないのです。人の情というものが、それぞれの国によって違いますから、それぞれのルールがある。これは法律というよりは、社会的なマナー

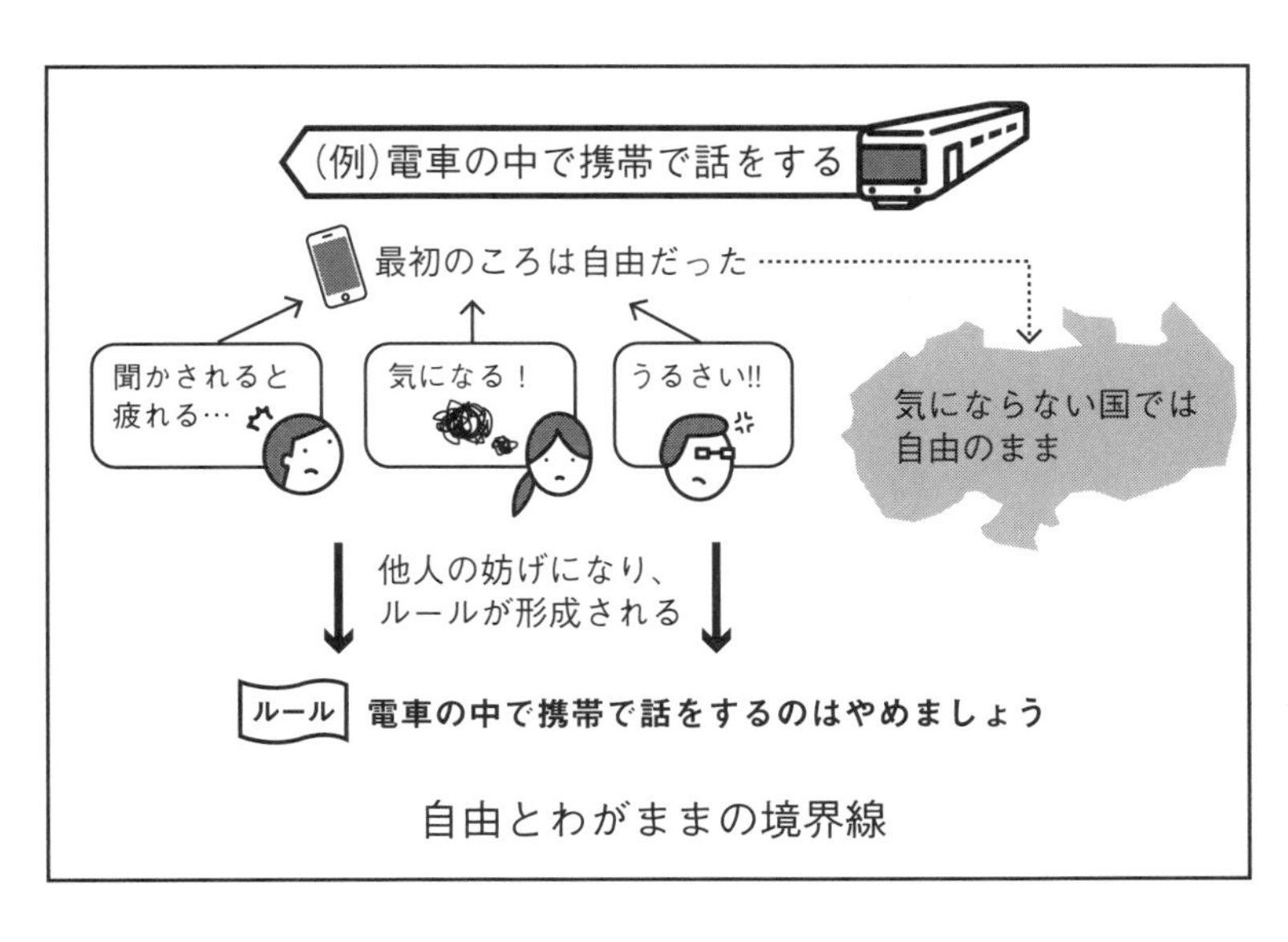

自由とわがままの境界線

ですね。

みんなが、なんとなく「これはやめておこう」というもの、たとえば「横入りはいけない」とか、「ここで大きな声で話すのはやめよう」とか、「映画館の中では隣の人とずっと話を続けているのはよくない」とか、そうした**マナーとして、自由とわがままが区別され、社会的なルールができていく**わけです。

携帯電話でも、どういう場所ならよいのかいけないのか、最初はなんとなくルーズな状態で始まったのが、徐々にマナーとして成立し、ここではダメと図に×印を入れたものが貼られたりして、そのマナーが固定化してきます。こうした変化、マナーの形成過程をみなさんも経験していることでしょう。

3－3

迷惑をかけなければ、なんでもOKだろうか

「たとへば、自分の金銀を費してなすことなれば、たとひ酒色に耽り、放蕩を尽くすも、自由自在なるべきに似たれども、決してしからず。一人の放蕩は諸人の手本となり、つひに世間の風俗を乱りて、人の教へに妨げをなすがゆゑに、その費すところの金銀はその人のものたりとも、その罪許すべからず。」（初編）

現代語訳

たとえば、自分のお金を使ってすることなら、酒や女遊びにおぼれてやりたい放題やっても、自由であるからかまわない、というように思えるかもしれないけれども、決してそうではない。ある人がやりたい放題やるのは、他の人の悪い手本になって、やがては世の中の空気を乱してしまう。人の教育にも害になるものであるから、浪費したお金はその人のものであっても、その罪は許されないのだ。

自分の金なのだから、どんな使い方をしても自由だと考えるのは、正しいのか

前項3―2は、自由とわがままの区別についての話でしたが、では、人の迷惑にならなければ、何をしてもよいのだろうか。ここでは、その問題について例を挙げて説明しています。

自分の金を使うのであれば、酒色にふけって放蕩を尽くしても自由自在でいいじゃないか、と思われるけれど、それはどうだろうか。「自分の金を使うのならば、どのように使ってもい

(例)自分のお金で、酒や遊興におぼれる

だれにも迷惑かけてないからいいじゃないか？

あの人、あんなことしてる…？

社会のルールから逸脱していいの？

お金もってるなら何してもいいの？

お金持ちや社会的責任のある人はなおさら、
他人に悪影響を与えるようなことをしてはいけない

それがノーブレス・オブリージュ(高貴なる者の責務)

ノーブレス・オブリージュとは？

いじゃないか」という考え方もあると思います。しかし福澤は、金があっても好き放題のことをやってはいけないと戒めています。

「一人の放蕩は諸人の手本となり」とありますが、このへんは、いまの時代ではちょっと意見が分かれるところでしょう。

たいへんなお金持ちがいて、もちろん法に触れないかぎりですが、賭け事をしたり酒色にふけり、放蕩を尽くして大いに散財したとします。それは「その人の好きでやっていることだから、別にとがめることもない、いいじゃないか」と考える人が現在は多いと思います。

ところが、福澤は当時の世間のルールを乱すことになるので、よくないと考えました。

お金持ちや地位の高い人には、それなりの社会的な責任があるのだから、まったくの好き放題にしてはよくない。なぜなら、みんながそれをまねて風俗が乱れてしまうから、と危惧したのです。

武士が支配する江戸時代を否定したが自分は武士であることを誇りとした福澤諭吉

福澤は武士の世の中がなくなったことについては大賛成でしたが、自分のアイデンティティは武士だったのです。彼は頭脳が優れていましたので、その能力を世のため人のために用い、人びとの手本となるのだという、**「ノーブレス・オブリージュ」（高貴なる者の責務）の意識**をもっていました。それが武士というものの矜持でもあったのだと思います。

武士は豊かではありませんでした。支配階級が豊かでない、というのは国のあり方としては珍しい。士農工商で商がいちばん財をもっていて、「武士は食わねど高楊枝」というわけですね。

福澤は江戸時代のシステムは否定しますが、実は武士というものが自分の責務を全うする気概をもった存在であることを、ひそかに誇りとしていたのではないでしょうか。

3－4

弱い者の権利を踏みにじってはならない

「その人々持前の権理通義をもつて論ずるときは、いかにも同等にして、一厘一毛の軽重あることなし。（……）人々その命を重んじ、その身代所持の物を守り、その面目名誉を大切にするの大義なり。」

「大名の命も人足の命も、命の重きは同様なり。豪商百万両の金も、飴やおこし四文の銭も、己れが物としてこれを守るの心は同様なり。」

（第二編）

現代語訳

その人が生まれつきもっている人権に関しては、まったく同等で軽重の差はない。……一人ひとりの命を重んじて、財産を守り、名誉を大切にするということである。

大名の命も、力仕事をする者の命もその重さは同じである。豪商の百万両の金も、お菓子売りの四文の銭も、これを自分の財産として守る気持ちはいっしょである。

どんな人でも、命や財産、名誉を守る権利をまったく平等にもっている

これは基本的人権についての話です。人の命を重んじ、財産を守り、面目や名誉を大切にすることが、人がみんなもっている人権なのだ。大名であろうと人足であろうと、命の重さは変わらない。どのような場合でも同等の権利があるということです。

英語の「right」を訳すと「権利」になりますが、福澤はこれを「**権理**」と訳しています。

つまり、「理（ことわり）」があるということで、利益の「利」よりも「理」を使っています。この「権理」のほうが「right」の訳としては適切ではないかと思います。

江戸時代には、一人ひとりが自分の権利をもっているという意識はありませんでした。そこで、「実をいうと、みんなに基本的な人権があるのだよ」と、かなり時代に先駆けて述べているのです。

力士がふつうの人の腕を捻り折るようなことがいまの社会でも起きていないだろうか

「世の悪（あ）しき諺（ことわざ）に、『泣く子と地頭には叶はず』と。またいはく、『親と主人は無理をいふもの』などとて」、ことわざにあるように、権力をもった地頭、親や主人にはかなわないとか、一人ひとりの権利を踏みにじることがあってもしょうがない、とあきらめてはいけない。

また、強い者が弱い者に対して無理を通そうとするのは、「力士が我に腕の力ありとて、その力の勢ひをもつて隣の人の腕を捻（ねじ）り折るがごとし」。これはわかりやすくておもしろい比喩ですね。相撲の力士が力が強いからといって、ふつうの人の腕を捻って折ってしまうのと同じ

命の重さはみんな同じ

だ。権力をもっていたり富んでいたりする人が、弱い者の腕を折るようなことは、**弱い者の権利を踏みにじることになるのです**。

一時期、「自己責任」という言葉が流行ったことがありますが、これにはちょっと気になるところがあります。たとえば貧しい状態に陥った人たちを自己責任だとしてしまうと、その人たちは「努力しなかったから仕方がない」「大企業に勤めていないから仕方がない」「フリーランスだから仕方がない」「すべて自己責任だ」となってしまいます。

自己責任という言葉がどんどん大義名分のように使われるようになる。その結果、力士がふつうの人の腕を折るのと同じようなことになってしまう。それは格差社会ではないでしょうか。

3－5

いつまでも消えない男尊女卑の悪弊

「『女大学』に婦人の七去とて、『淫乱なれば去る』と明らかにその裁判を記せり。男子のためには大いに便利なり。あまり片落ちなる教へならずや。畢竟男子は強く、婦人は弱しといふところより、腕の力を本にして男女上下の名分を立てたる教へなるべし。」（第八編）

現代語訳

『女大学』には、「妻を離縁できる七つの条件」というのがあり、「浮気は離婚の理由になる」という裁判の結果がある。男にとってはたいへんに好都合なものである。しかし、あまりに不公平ではないのか。結局、男は強く、女は弱いということから、腕力で男女に上下の差別を設ける教えなのだ。

いまだに女が一方的に非難されることが多いがこれは男中心の考え方で、とんでもないことだ

江戸時代に『女大学（おんなだいがく）』という、女子のための修身書がありました。『学問のすすめ』でもこれを批判していますが、福澤には別に『女大学評論』や『新女大学』（講談社の学術文庫で読むことができます）という文章があります。そこでは『女大学』を徹底的に批判して、この本に書かれていることは、「男にとって大いに便利な、一方的な教えだ」と断じています。

不自由を刷り込まれる女性たち

『女大学』では、「七去」（妻を離縁できる七つの条件）として、「舅や姑に従わない」「子どもができない」「浮気をする」「嫉妬深い」「悪い病気がある」「お喋り」「物を盗む」の七つを挙げていますが、『女大学評論』では、これをすべて理不尽だと批判しています。

たとえば「子どもができない」については、「実に謂はれもなき口実なり。夫婦の間に子なきその原因は、男子に在るか女子に在るか、これは生理上・解剖上・精神上・病理上の問題にして、今日進歩の医学もなほ未だその真実を断ずるに由なし。……畢竟無学の憶測といふべきのみ」といい、「夫婦の間に子どもができないのは、男のせいなのか女のせいなのか、わからないではないか。学問を知らない者の勝手な思い込みだ。もし、子どもができないから離縁だというならば、婿養子になった夫との間に子どもができないと、この夫は追い出されることになる。そんなことはしていないではないか」と難じています。

油断すると、女だけが権利を狭くされて責められる
こうした悪い風習は、早くなくしていこう

『学問のすすめ』でも批判していますが、「浮気をする」に関しては、浮気をするのは、女に比べれば男のほうがよっぽど多いだろう、特に女のほうだけを離縁の対象にするのは、「方角違いの沙汰といふべきのみ」、とんちんかんなことをいいなさんな、と諭しています。

また、『女大学』にある「女は夫をもつて天とす。かへすがへすも夫に逆らひて、天の罰を受けるべからず」という箇所に対しては、「ほとんど評すべき言葉もない。妻が夫を天とするならば、夫は妻を神とすべきだ。妻を虐待して神罰をこうむるなよ」と最大限に戒めています。

このように、『女大学』の教えは、女の権利を狭めて不自由にし、男のために便利なものとなっているので、「**女子たる者は決して油断すべからず**」と警告しているのです。

3－6

夫と妻のつきあい方

「世に生まるる男女の数は同様なる理なり。（……）されば一夫にて二、三の婦人を娶(めと)るは、もとより天理に背(そむ)くこと明白なり。これを禽獣といふも妨げなし。」（第八編）

現代語訳

世の中に生まれる男女の数は同じになる理屈である。……とすれば、一人の男が、二、三人の女性を娶るのは、天の道理に背くことが明白である。ケダモノといってもよい。

一夫多妻を許す男最優先の家父長制は戦前まで強力に残っていた

男女は同数に生まれているはずなので、**一夫多妻はそもそもおかしい、鳥や動物と同じ**といってもさしつかえない、と明快に批判しています。

福澤諭吉は、明治の初めに一夫多妻を否定しましたが、にもかかわらず、実はその後、明治・大正・昭和にわたって長期間、男というものを尊重する強力な家父長制が続きます。

江戸時代までは古い風習があり、家族制度も古かったのが、明治時代になって新しく変わった、というわけではないのです。昭和20（１９４５）年までは、かなり古い家父長制の考え方が残っていました。お妾さん、愛人とか二号さんがいると公言する政治家もいましたし、国民は「まあそんなものだろう」と思っていた。家父長制のすべてが悪いということではないと思いますが、「男がエライ」「長男がエライ」「家長がエライ」といった時代だったのです。

「嫁」と呼ばれたり、「家内」といわれたり言葉にはまだ家父長制の名残がある

現在では家父長制はほとんど見られませんが、言葉にはその名残が見られます。

「嫁」といういい方はよいのか悪いのか、といったテーマでテレビ取材を受けたことがあります。たとえば、夫が第三者に、「うちの嫁が」という。いわれた妻のほうは、これが非常に不愉快だ、と感じる人が増えてきた。これについてどう思うか、と聞かれたのです。

もともと「嫁」という言葉は、夫の両親が夫の配偶者を「うちの嫁が」というように呼ぶものなのです。夫が妻を呼ぶ言葉ではなかった。だから自然に、両親の上から目線になっていく。

	旧民法(1898-1947年)時代の家と家族	新民法(1947年-)時代の家と家族
家と戸主	ひとつの戸籍に入っているのが「家」。家は、「戸主」と「家族」で構成される。戸主には家族を扶養する義務と、家族を統率する権限がある。	いわゆる「家制度」が廃止される。戸籍制度は残るが「戸主」はおらず。
婚姻	戸主の同意が必要(強行する場合、戸籍からの離脱を覚悟しないといけない)。家の存続が重要であり、妾をもつことなども黙認された。	両性の同意のみに基づいて成立。夫婦が同等の権利をもつものとされた。ただし現在の考え方としては不十分な箇所も多く、さまざまな議論を呼んでいる。
相続	戸主の財産権と身分を引き継ぐ「家督」の相続であるため、単独相続。基本的には長男に相続される。生前相続あり。家督を引き継いだ者は親の老後の責任をもたなければならない。	死亡後に「遺産相続」をされる場合がほとんど。法定相続では、遺産は配偶者や子どもなどに分割される。

民法に定められた「家」「家族」の変遷

また、そもそも「家に入る」というのが「嫁」のイメージですから、「私はあんたの家に入ったわけじゃないわよ」と、当人は不愉快になります。

時代が変化してくると感覚も変わって、言葉も変わってきます。いま「家内」という人はあまりいませんね。明治時代に、家の中に女性がいるので「家内」と呼ぶようになった。それは「家の中にいる」という役割を押し付けたことになり、それがいけないとされて、いまではあまり使われていません。

そのように言葉というものは、元の意味の名残を残しつつ、新しい言葉とのバランスを取りながら、徐々に変化していくのでしょう。

3－7

人間(じんかん)交際を広めていこう

「人の性は群居を好み、決して独歩孤立するを得ず。（……）広く他人に交はり、その交りいよいよ広ければ、一身の幸福いよいよ大なるを覚ゆるものにて、すなはちこれ人間交際の起こる由縁(ゆえん)なり。」

「およそ世に学問といひ、工業といひ、政治といひ、法律といふも、みな人間交際のためにするものにて、人間の交際あらざれば、いづれも不用のものたるべし。」（第九編）

現代語訳

そもそも人間の性質というのは集まって住むことを好んで、決して一人で孤立してはいられないものだ。……広く他人と交際して、その交際が広くなればなるほど、自身の幸福も大きくなるのを感じるものであって、これが人間社会が生まれた所以(ゆえん)である。

およそ、世の中に学問といい、工業といい、政治といい、法律というのも、みな人間社会のために存在するのであって、人間社会がなければ、いずれも不要のものである。

人は孤立しては生きていけない 集まって互いに交流するのが人間社会だ

人は、互いに交わることが、いかに大切であるか、という話です。

「人間交際(じんかん)」は「人間交際(にんげん)」と読むこともありますが、「世間」「社会」という意味です。人と人との間の交わりから社会ができてくる。「交際」とは元の言葉が「society ＝ソサエティ」でしょう。「ソサエティ」は「社会」と訳しますが、そうした意味だけでなく、「世間の交際」

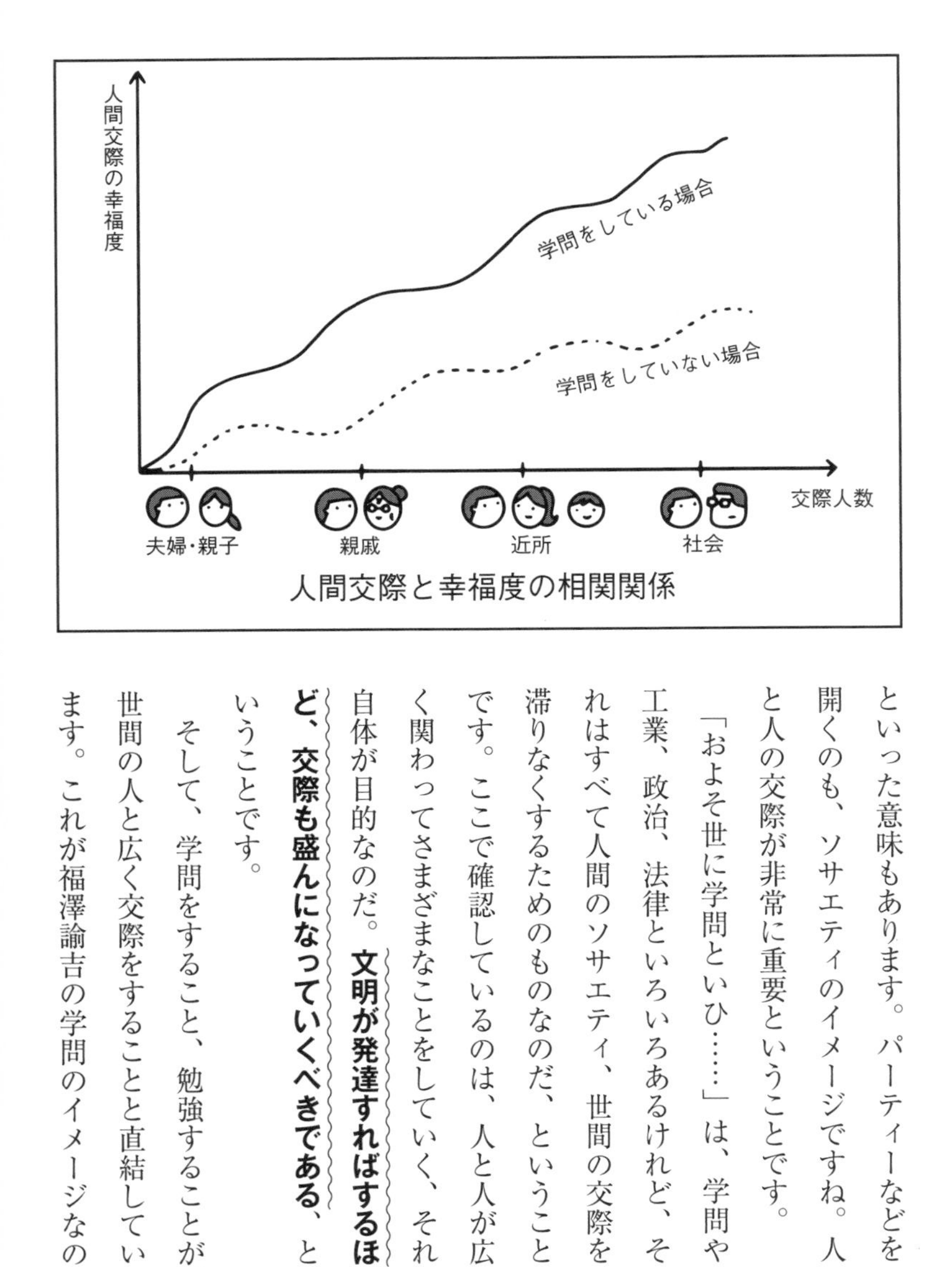

人間交際と幸福度の相関関係

といった意味もあります。パーティーなどを開くのも、ソサエティのイメージですね。人と人の交際が非常に重要ということです。

「およそ世に学問といひ……」は、学問や工業、政治、法律といろいろあるけれど、それはすべて人間のソサエティ、世間の交際を滞りなくするためのものなのだ、ということです。ここで確認しているのは、人と人が広く関わってさまざまなことをしていく、それ自体が目的なのだ。**文明が発達すればするほど、交際も盛んになっていくべきである**、ということです。

そして、学問をすること、勉強することが、世間の人と広く交際をすることと直結しています。これが福澤諭吉の学問のイメージなのです。

学問は一人閉じこもってするものではない
人間同士が広く交際して高め合うためのものだ

ふつう、勉強するというと、何か一人でずっとこもって本を読んだりして、交際があまり得意ではない人のイメージですね。たとえば「大学院で勉強しています」というと、あまり社会と交際していないような感じがします。

ところが福澤は、そうした状態が学問なのではなくて、もっと生きた学問でなければいけないというのです。

社会というものは、人が他のさまざまな人たちと交わって、お互いを知っていくところだ。

そして社会は交際が盛んになればなるほど活性化する。

そのときに人は学問をして、そのレベルの高い状態で、人間同士の交際をしていく。そういう人を増やしていこう、そして社会をより豊かにしていこう、と呼びかけているのです。

3－8

文明が進歩すると人間の交際も広がる

「世の中のありさまは次第に進み、昨日便利とせしものも今日は迂遠となり、去年の新工夫も今年は陳腐に属す。（……）ただに有形の器械のみ新奇なるにあらず。人智いよいよ開くれば交際いよいよ広く（……）政治・商売の風を一変し、学校の制度・著書の体裁・政府の商議・議院の政談、いよいよ改まればいよいよ高く、その至るところの極を期すべからず。」（第九編）

現代語訳

世の中のようすは次第に進歩する。昨日便利だったものも今日はまだるっこく感じられるようになって、去年の新発明も今年は陳腐なものになる。……進歩は、形ある機械に限ったことではない。知恵が発展するにつれ、人間同士の交流もますます活発になり……政治や商売のやり方が一変し、学校の制度・本の体裁・政府の経済政策・議会での政治の議論も、改められるに応じてレベルも高くなった。その到達点は予想できない。

文明の利器が開発されていくにしたがって人びとの交際がいよいよ広がった

文明の進歩は古人、先人の恩恵を受けたものであり、どんどん新しくなっていきます。明治の初め、福澤の時代もたいへん日進月歩な時代でした。

西洋では「電信・蒸気・百般の器械」がどんどん開発されて、文明がずんずん進んでいき、「日に月に新奇ならざるはなし」で、それは単に「有形の器械」、道具や機械などのハードだけ

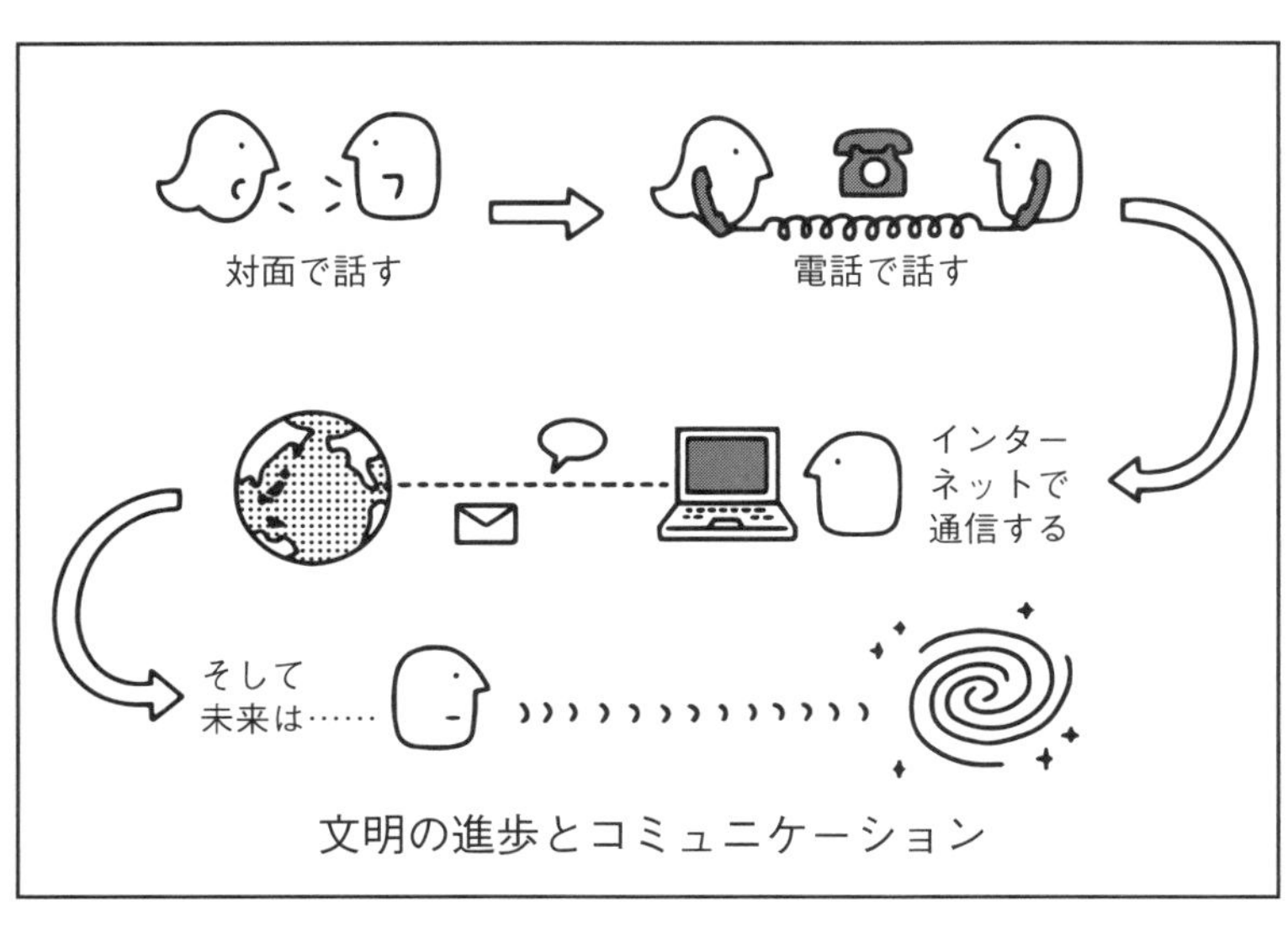

が新しくなるのではなく、政治や経済の議論が盛んになって、世の中のいろいろな制度などのソフトも改まっていく。人間の交際、世間の交際がいよいよ広がってくるわけです。

現在ではインターネットによって、一気に世界中の人がつながるようになりました。ある人のツイートが世界中で評判になることもあります。ＹｏｕＴｕｂｅを見ていますと、映画『劇場版「鬼滅の刃」無限列車編』の主題歌『炎』をＬｉＳＡ（リサ）さんという日本の歌手が歌っていますが、それに対していろいろな言語による書き込みがありました。

あっという間に世界中の人がチェックして、自分たちの言語で書き込んでいる。インターネット上では発表するやいなや、リアルタイムで世界中の人がそれを見て、コメントをつける時代になりました。

インターネット上のコメントで人間の交際は桁違いに拡大している

お互いにコメントに対してまたコメントをする、というところにソサエティ、交際が生まれています。いまインターネット上のレビューやコメント欄は、実は交際というものの桁違いな拡大を示しているものだ、と私は思います。これに触れると、「**なるほど人というものは、人と関わって生きていくんだな**」と実感できます。

私はだいたい1日に200を超えるレビューを見ます。英語やフランス語など外国語で書かれたコメントなどを見ていますと、「日本語に翻訳する」というボタンがあって、クリックすると日本語訳が一瞬で出てきます。ぎこちない日本語ですが、おおよその意味はわかる。やがて、ヒンディー語であろうとスワヒリ語であろうと、外国語をなんでもポンポンと訳して読めるようになると、言語の壁を超えて互いにやり取りできます。時代はたいへんな速度で変わってきて、交際も急速に広がっているのですね。

3－9

人に信用されるのがいちばん大事

「人に当てにせらるる人にあらざれば、なんの用にも立たぬものなり。その小なるをいへば、十銭の銭を持たせて町使ひに遣る者も、十銭だけの人望ありて、十銭だけは人に当てにせらるる人物なり。」

「三井・大丸の品は正札にて大丈夫なりとて、品柄をも改めずしてこれを買ひ（……）三井・大丸の店はますます繁昌し（……）人望を得るの大切なること、もつて知るべし。」（第十七編）

現代語訳

人に当てにされるような人でなければ、何の役にも立たない。小さい方でいえば、10銭の金をもたせて町にお使いに出される者も、10銭分だけの人望があって、10銭分だけは人に当てにされている人物といえる。三井や大丸といった大呉服店の品物は、そのブランドを信頼して、品質を詳しく調べずにこれを買い……したがって、三井・大丸の店はますます繁盛し……人望を得ることが大切だ、というのは、これによってもわかる。

信用されてお金を任されているなら決してごまかしてはいけない

信用こそ大事なのだ、という話ですね。10銭という少額の金をもって使いに行く者も、その10銭という額だけの人望があるから、使いを任される。さらにもっと多く数百万、数千万といった金額を預かっている銀行の支配人となると、たいへんな信用となります。それは、金銭を預かるだけでなく人の便利になり、富のあり方や栄誉のあり方に責任をもつことになるので、

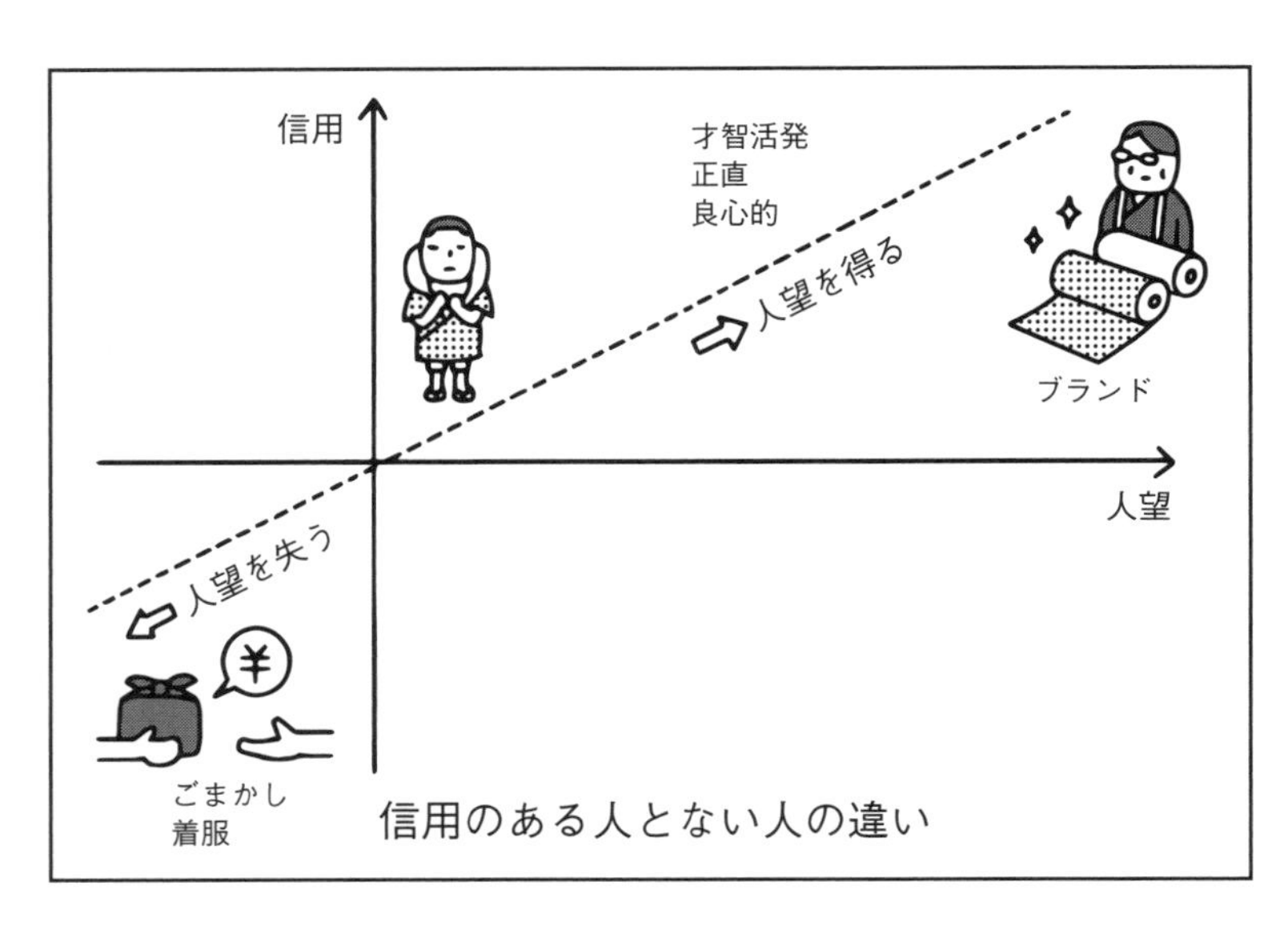

信用のある人とない人の違い

大任となります。

現在でも、政治家や官庁は何億円、何兆円というお金を預かって動かしているわけです。それはたいへんな責任で、信用されているからこそできることです。そこにごまかしなどがあるとすると、大きな問題となりますね。**政治家のお金の問題に関しても、非常に厳しく取り締まる必要があります。**

たとえば飲み会などで一人5000円ずつ出して、それを幹事が着服してしまうと、その人は仲間の信用を失います。こうした、お金をごまかすようなことを政治家などがすると、その人に何千億円も預けて運用させるのは、たいへん危険なことになる。

そこで、政治資金を規制する法律などがで

きているわけです。実業界でも、賄賂のようにお金を受け取ってしまうことは当然、信用問題となってきます。

あのブランドなら安心だ、そういう信用を得ることが大切

「三井・大丸の品は……」は、たとえば三井とか大丸などの大きな店で売る品は大丈夫だ、と疑いもしないで買ったりする者が多い。そうすると、信用のある店はますます繁盛する。だから「人望を得るの大切なることを、もつて知るべし」ということで、信用というものがとても大事なのです。

ではどうやったら信用が得られるか。この信用というものは、力やお金をもっているからではなく、**才智が活発に働き、また正直で良心的である**ということによって、だんだんに得られるものだ、と福澤諭吉はいっています。頭がてきぱき働いて正直者であれば、信用が得られるということですね。

コラム　齋藤孝からの「学問のすすめ」３

■「嫁」「奥さん」「女房」「かみさん」「家内」、妻の呼び方が変わっていく

私が教えている大学の女子学生たちに、「自分が『嫁』と呼ばれるとしたら、どう思うか」と聞いてみました。すると、半分ほどの学生は「嫁」といわれるのを気にしていない。しかしもう半分は、ちょっと違和感がある。その違和感のある人たちに、「では、どういう呼ばれ方をされたいか」と聞いてみると、多かったのは「奥さん」でした。

実は「奥さん」という言葉も、本来は身分の高い人の妻に対する敬称なので、夫側が自分の配偶者に対する呼び方としてはおかしいのですが、いまの時代では、「うちの奥さんが」といってもおかしく感じない。

では「女房」はどうかというと、もともとは尊い人のまわりで世話をする女性を指しました。ですから、「女房」も「世話をする係」みたいなことでおかしい。それから「かみさん」。これは敬称ですから使いやすい。テレビドラマ『刑事コロンボ』で、「うちのかみさんが」と、コ

ロンボがよく使っていました。

いま「家内」という人はあまりいないかもしれません。明治時代に、男は外で働き、女は家の中を守るので、「家の中にいる人」を「家内」と呼ぶようになりました。「家の中にいる」という役割を押し付けているわけです。

このように、言葉には、時代の感覚の変化によって使われなくなり、代わりに新しい言葉が生まれてくることがあります。女性の権利が向上していく、という大きな時代の流れがあると、女性に関する言葉も、時間をかけて徐々に変化していきます。

妻が夫のことを「うちの主人が」というのに抵抗がある人もいて、これは「主人」と「従者」の関係ではないはずなので、当然でしょうね。しかし、まだ使っている人もたくさんいます。そのように言葉の使われ方は、元の意味の名残を残しつつ、新しい言葉とのバランスを取りながら、徐々に変化していくのでしょう。

女性解放運動で知られた平塚らいてう（1886−1971）が明治44（1911）年に雑誌『青鞜（せいとう）』を発刊したときに、同人の一人である歌人、与謝野晶子（よさのあきこ）（1878−1942）が「山の動く日来る（きた）」で始まる「そぞろごと」という詩を、宣言として寄せています。「山の動く」というのは「女性が動き出す」ということなのです。このように、女性の権利を拡張するフェミニズム運動といえるものが、当時にもありましたが、その後長い間、こうした考え方や運動は押し込められてしまい、そして戦後を迎えたのです。

かつての見合い結婚でも、家ですすめられれば、「そんなものか」と結婚したような雰囲気がありました。女性は、結婚という大事な人生の選択でも、自分の意思ではなく結婚し、またあまり離婚もしないで人生を送ってきたのです。現在ではちょっと測りがたい、ある種の安定というものが、そこにはあったのかもしれませんが、両性の意思が重要なのは憲法にある通りです。

■日本人が忘れてきた、何か懐かしいものを取り戻したい

2020年には映画『劇場版「鬼滅の刃」無限列車編』が記録的な大ヒットをしました。鬼というものに対して人間が戦う、その中でもとりわけ重い仕事を担っているのが「柱（はしら）」といわれる人たちです。煉獄杏寿郎（れんごくきょうじゅろう）は「炎の呼吸」を使う「炎柱（えんばしら）」で、鬼を滅ぼす「鬼殺隊（きさつたい）」の中心的役割を果たしています。

大正時代の日本が舞台になっているので、当時の日本人のメンタリティも思い起こさせるような内容です。強い者は、弱い者を助けるためにその力を使う。それが強い者の責務である。

強い人間が戦わなければ、弱い者は守り切れない。『劇場版「鬼滅の刃」無限列車編』は、そうした考え方が中心となっています。

その映画を、延べ２６００万人以上の人が観に行っている。そして興行収入３６０億を突破し、『千と千尋の神隠し』を抜いて1位になりました。それだけの人気があるということは、「こういう生き方って、日本人の生き方だったんだ」と、目が覚めた人たちが多かったのだと思います。

いまの時代では、ともすれば自己中心的になって、「自分さえよければいい」「自分だけトクすればいい」という考え方に流れやすい。それとは違う考え方、日本人が戦後、取捨選択して捨ててきたものがあった。映画を見た人は、それに気がついたのではないでしょうか。

自分の世代より前の世代が捨ててきてしまったもの、いってみれば戦前の日本、日本人の生き方の美意識を、何か懐かしい気がするものとして、感じたのではと思うのです。

そういう心持ちとは正反対なのが、日本のエリートたちが日本の資産を、外国にどんどん売り飛ばしてしまうようなことです。薬品会社などたいへんな額で海外投資して、結果、経営が難しくなった。日本の資産が海外に流れているわけなので、受け取った側はトクしている。しかし、これは日本にとっての損失なのですね。

こうしたところにも、福澤諭吉の「自分さえよければ、何をしてもいいとはならない」「自分の国は、自分で守る」という警告がいまに生きているのだと思います。

■インターネットで人びとの交際が世界中に広がっていく

英語を読めたり話したりできると便利ですし、頭もよくなって教養になりますから、勉強するだけの価値はあると思います。しかし、現在のＡＩ（人工知能）の進歩を考えますと、そうした技術的な能力よりも、ほんとうは「意味」というものが大事なのではないかと思うのです。

ある人がどんな意味のことをいっているのか、ある本にはどんなことが書かれているのか、その内容は何語に訳してもおよそ同じなわけですね。たとえばドストエフスキーの書いたロシア語の原文は読めなくても、『罪と罰』はおもしろいね」というふうに、世界中の人が思っている。それは書かれている意味が通じるからです。古今東西でいちばん重要なやり取りとは、「意味」のやり取りなのです。

ところが、そうなると自分の言葉で、意味のあることがいえるかどうか。これがとても大事なことになります。意味のあることをいえないとなると、それは何語に訳しても意味が通らない。ヘンなことをいったりすれば、何語に訳しても、やっぱりヘンなことになる。間違ったことをいえば、何語に訳しても間違っているわけです。

ＡＩによって全言語が瞬時に訳されるようになると、話し言葉も瞬時に訳されるようになります。そうした装置も進歩しつつあります。そうなると、世界中が交際の範囲になってきますね。私の教えている学生でも、「インターネット上に記事をアップすると、それに対して外国人も含めていろいろなコメントが付いてくる。それがとても励みになってうれしい」といっています。思わず書いた文章が、ある有名な人の目に留まって、すごく励ましてもらえた、といった例もありました。ネットの画面では一瞬で翻訳してくれるため、可能になったことです。

こうして、現在、交際の範囲がいろいろな形で、たいへんな速度で広がっています。３―７、３―８で福澤諭吉が述べているような交際の大切さ、そして学問をして広い世界に大志を抱いて出ていこう、という勧めは、いよいよリアルなのではと思います。

第4章
「自分」とのつきあい方

4－1

自分の体は自分で自由に使おう

「人たる者は、他人の権義を妨げざれば、自由自在に己れが身体を用ふるの理あり。その好むところに行き、その欲するところに止(とど)まり、あるいは働き、あるいは遊び、あるいはこの事を行なひ、あるいはかの業(わざ)をなし、あるいは昼夜勉強するも、あるいは意に叶(かな)はざれば、無為にして終日寝るも、他人に関係なきことなれば、傍(かたわら)よりかれこれとこれを議論するの理なし。」（第八編）

現代語訳

人たるもの、他人の権理を妨げない限りは、自由自在に自分の身体を使っていい道理になる。好きなところに行き、いたいところにいて、あるいは働き、あるいは遊び、この事を行い、あの事をし、昼夜勉強するのも、あるいは気が向かなかったら一日中寝ていてもよい。他人の利害に関しない限りは、はたからあれこれいわれる筋合はない。

人に迷惑をかけなければ、何をしても自由だが自由を手に入れるには、勇気も必要だ

ここは、人は何も恐れる必要がないのだ、自由であれ、というメッセージです。私たちは自由で民主的な社会にいますから、当然自分のことを自由だと思いますが、考えてみると、自分で制約をいろいろ作ってしまい、自分を不自由な状態にしている、ということもよくあります。

たとえば授業で、「いま自分が読んでいる本について発表してみてください。誰かお願いし

一日中、ずっと
寝ていたい！
好きな人と
結婚したい！
会議で自由に
発言したい！
すべて、他人に迷惑をかけない範囲であれば、
自分の好きなようにしてよい

人の目を気にしすぎていないか？

ます」といわれたときに、「発表するのは自分の権利だ」ととらえれば、発表する自由を得たことになります。ところが、「誰かがやらなきゃいけない」、という義務としてとらえてしまうと、押し付けられた負担に思えてくる。これはほんとうに自由な状態ではありません。

「それでは順番に発表してください」といわれれば、みんなちゃんと発表できるわけです。発表する内容はもっているのに、それをしない。他の人から見たら、自分の発表なんかたいしたことないと思われるかもしれない、という恥ずかしさもあるのですね。こういうものが実は自由を制限しています。

また、新入社員が会議に出た場合、新入り

だから発言するのを遠慮して黙っている、といったこともよくあります。チームに貢献するには自分も発言していいわけで、**自分を押し出してアピールしていく勇気をもつ**ことは、自由を実感していくために必要なことです。

自由の権利も、恐れずそれを使っていかないと自由にできる範囲がだんだん狭くなってきてしまう

ところが、一度発表をした学生や発言した社員は、自信もできて心が解き放たれ、次回もやりたくなってしまう。自由の味をしめたわけです。自由というものには、「何かを表現していいんだ」という勇気が必要なのです。日本人は他者の視線があるとビビってしまいがちです。人に迷惑をかけないのであれば、ビビる必要なしです。

社会の管理がきつくなってきたとき、それに対して**人びとが声を上げていかないと、しだいに自由の範囲が狭くなってしまう**ものです。権利があってもそれに安住するばかりで、それを行使しないと、権利はしだいに保護されなくなってくる。

このように、「不必要に恐れない」というのが福澤諭吉の特徴です。

4－2

嫉妬はどこから来るのか

「およそ人間に不徳の箇条多しといへども、その交際に害あるものは怨(えん)望(ぼう)より大なるはなし。」

「他の有様(ありさま)によりて我に不平を抱き、我を顧みずして他人に多(た)を求め、その不平を満足せしむるの術は、我を益するにあらずして、他人を損ずるにあり。」

「怨望はあたかも衆悪の母のごとく、人間の悪事これによりて生ずべからざるものなし。」（第十三編）

現代語訳

およそ人間には、いろいろな欠点があるものだが、人間社会において最大の害があるのが、「怨望」である。

他人の様子を見て自分に不平を抱き、自分のことを反省もせずに他人に多くを求める。その不平を解消して満足する方法は、自分に得になることではなく、他人に害を与えることにある。

怨望は、諸悪の根源のようなもので、どんな人間の悪事もここから生まれてくる。

嘘をついたり、中傷したり、怠けたりするよりも人を妬むことが、いちばんの悪徳だ

人に嫉妬したり、人を羨(うらや)んだりする、それを「怨望」といいます。人を羨む気持ちほど、交際するうえで害のあるものはない、と強く戒めています。

贅沢や誹謗(ひぼう)、頑固、浮薄、嘘など、いろいろと悪いことや不徳はあるけれども、「不善の不善なる者は怨望の一箇条なり」で、妬(ねた)んだり羨んだりすることが、いちばん悪いことである。

怠惰も害となりますが、その怠惰よりも怨望のほうがもっと悪い。「何よりもかによりも怨望がいちばん悪い」と強調しているところがおもしろいですね。

たとえば自分が贅沢をして散財しても、とりあえず人に迷惑はかけていませんね。ところが、怨望、羨みというものは、成功をしている人を引きずり降ろしてみたい、という欲望です。引きずり降ろしてホッとする。それはいちばんよくないのです。

猜疑、卑怯、策略、暗殺、内乱……世の中のすべての悪事は、嫉妬心から生まれる

「怨望はあたかも衆悪の母のごとく……」は、人を羨む気持ちが、すべての悪事の母だ、根本だ、ということです。徒党を組んだり、暗殺したり、一揆を起こして内乱を起こしたり、そうしたことの根本には、人を妬み、疑ったり嫉(そね)んだりすることがあるからだ、といいます。

では、**怨望の原因は何か。それは「ただ窮の一事にあり」**。この「窮」は、貧窮や困窮ではなく、言論や行動の自由を妨げ、人間の自然な働きを行きづまらせる「窮」だといいます。そうした行きづまった状況から、不平不満が出て妬み、嫉みが生じるのです。

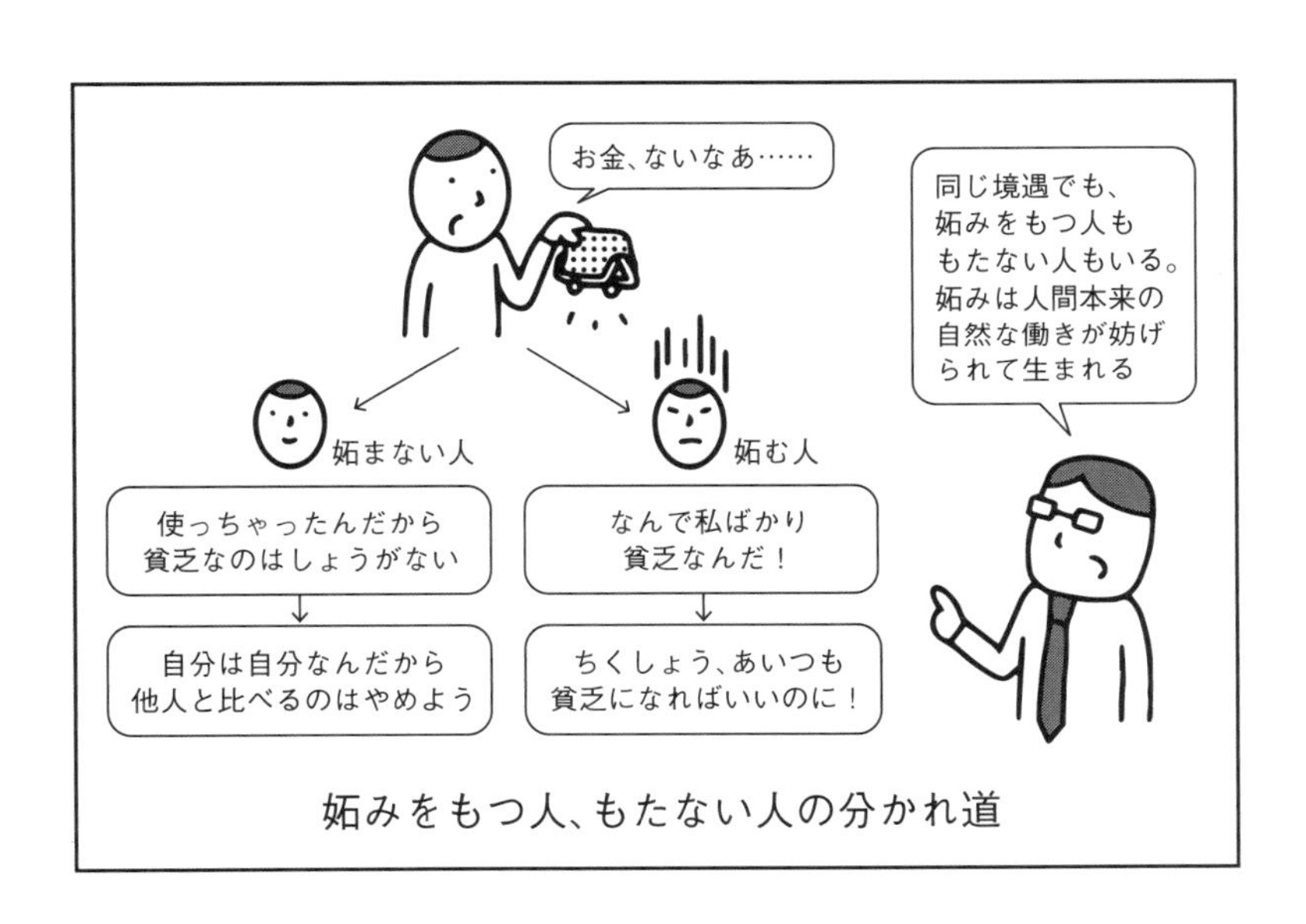

妬みをもつ人、もたない人の分かれ道

いまの時代では、嫉妬心というものが、いろいろな形で足を引っ張り合っているように見受けられます。たとえば週刊誌の芸能人のスキャンダルなど、成功している人が転げ落ちるのを見ると、何か気分がいい。「また誰か転げ落ちないかな」と、人を祀りあげておいて、次には転げ落とさせる、ということを繰り返す。こうしたジャーナリズムの働きは、怨望、嫉妬による不平不満をはらす「怨望ポンプ」とでもいいましょうか。

なんでもかんでも引きずりおろしてやろう、といった気持ちが生じたときには、福澤諭吉の言葉を思い出して、「**いま怨望という害にとらわれていたな、これではいけない**」と気持ちを静めましょう。

4－3

思いのほか失敗することが多い

「思ひの外に失策多くして、最初の目的を誤り、世間にも笑はれ、自分にも後悔すること多し。」

「世の事変は活物（いきもの）にて、容易にその機変を前知すべからず。これがために智者といへども案外に愚を働くもの多し。」（第十四編）

現代語訳

思いのほかにミスも多く出て、最初の目標を誤り、世間にも笑われて、自分でも後悔することが多い。

世の中の事情の変化は生き物であって、前もってその動きを知ることは簡単ではない。そのため賢い人間でも、案外バカなことをしてしまうのである。

自分で大丈夫だと思っていても失敗してしまうことが意外にある

思ったよりも私たちには失策が多いのですね。意外に変なことをしてしまいます。いろいろな失敗があるけれども、それはどうしてかというと、世の中のことは生きて動いているので、簡単に知ることができないからです。この文章は文語文ですが、格調があってリズムもよいので、声に出して読んでみたいところですね。

なぜ、ふつうにやっていても失敗してしまうのか。失敗にもいろいろなものがあるが、「事を企つるに当たりて、時日の長短を勘定に入れ」ないからいけない、と福澤は注意しています。常にタイムリミットなどを間違えてしまうから、思い通りにいかないのだ。時間をきちんと計算しておけ、ということです。

失敗の原因のひとつは、時間のヨミが足りなかったから「時は金なり」で、時間感覚を鍛えよう

さらに、「また人の企ては常に大なるものにて、事の難易・大小と時日の長短とを比較することはなはだ難し。フランキリンいへることあり、『**十分と思ひし時も、事に当たれば必ず足らざるを覚ゆるものなり**』」と、フランクリンの言葉を紹介しています。

アメリカの政治学者・科学者のベンジャミン・フランクリン（１７０６－１７９０）は、仕事の内容に対して時間が十分だと思っていても、実際にやってみると、必ず足りなくなるので、十分に準備しなさい、と注意しているのです。「時は金なり」「タイム・イズ・マネー」ですね。

この「タイム・イズ・マネー」は、実はフランクリンの考え方なのです。福澤諭吉は

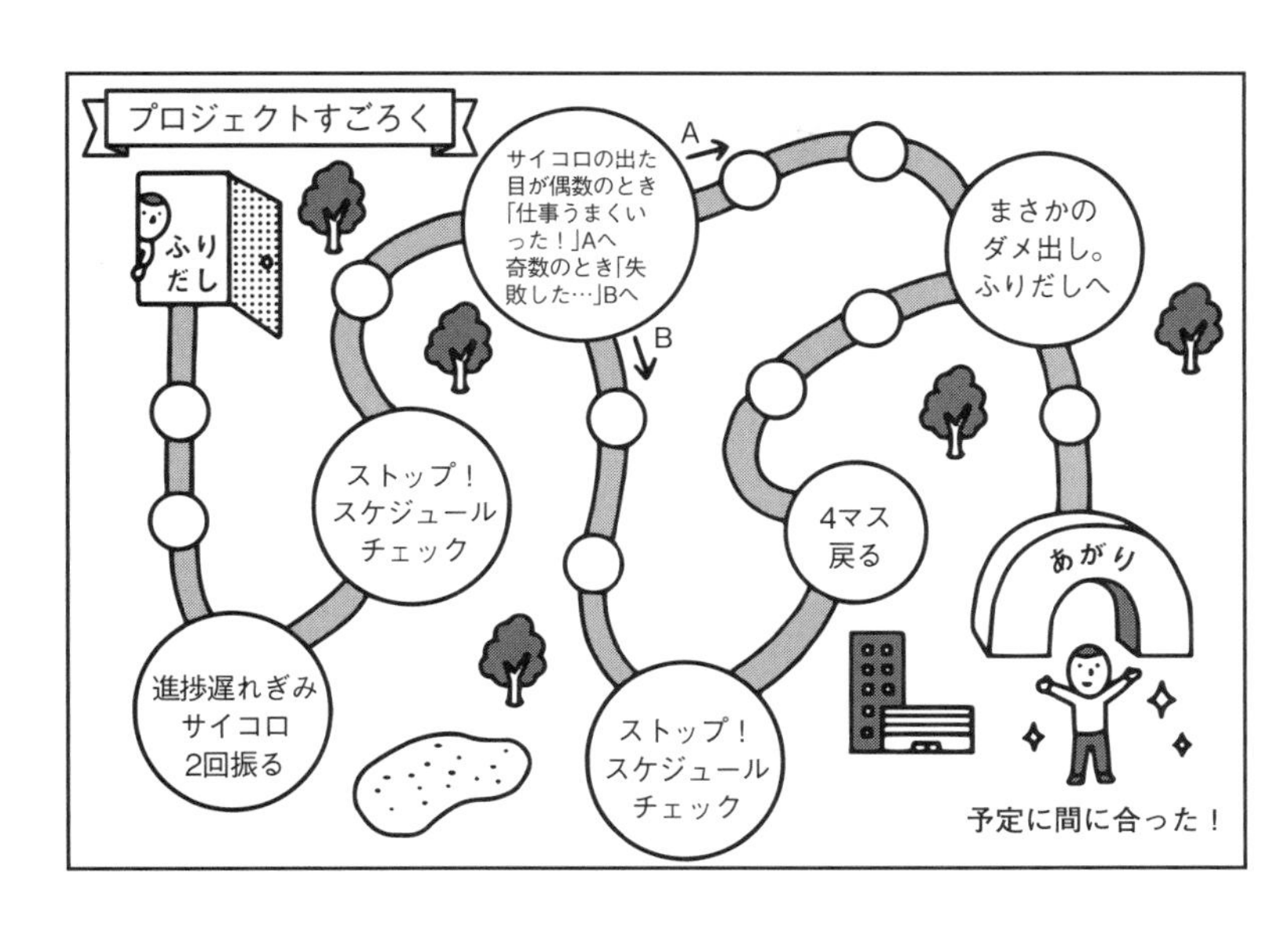

「Time is Money」という英語を書いて額に入れていたといわれています。

この世の中では、時間というものに対する感覚が重要となってきます。

世の中のことは先が読めないので、意外に失敗が多い。現在のコロナ禍の状況もそうですね。世界中がまったく予測できない事態に巻き込まれています。

そのような世の中で、私たちはどのように生きていったらよいのか。ただ巻き込まれて、翻弄されているだけでいいのか。福澤はまず**時間感覚をつけていくのが非常に大事なことだ**と、注意を喚起しているのです。

4－4

これまでの人生を総チェックしてみよう

「事業の成否得失につき、時々自分の胸中に差し引きの勘定を立つることとなり、商売にていへば、棚卸し(たなおろし)の総勘定(そうかんじょう)のごときものこれなり。」

「一身のありさまを明らかにして、後日の方向を立つるものは、智徳事業の棚卸しなり。」（第十四編）

現代語訳

事業の成否・損得について、ときどき自分の心の中でプラスマイナスの差し引き計算をしてみることである。商売でいえば、棚卸しの決算のようなものだ。

自分自身の有様を明らかにして、今後の方針を立てるものは、知性と徳と仕事の棚卸しなのだ。

人生の棚卸しをしてみるとしてはいけないこと、するべきことがわかってくる

棚卸しとは、会社や商店で、たとえば半年ごとの決算のときに、残った在庫はどれだけあって、その資産価値はどのくらいかを調べることです。

ここはおもしろい表現で、心の中のいろいろなものを棚卸しして、チェックしてみようということですね。

人生棚卸シート

年齢	できごと	得たもの	失敗したこと
17	彼女にふられる	自分を客観視する	お金を使い過ぎた
23	会社に入る。先輩を見習い足で稼ぐ営業を目指す	いい先輩、自信	
28	ギャンブルに夢中になり、すっからかんに	なにもない	友だちに借金する
30	彼女ができて立ち直る。資格試験の勉強を始める	気持ちの安定	
35			

自分の人生というものに関しては、ふつうはお金のように計算はしないわけです。ところが、「智徳」といって、智恵とか徳といったものに関しても棚卸しすべきなのだ、という考え方です。

自分の人生をひとつの商売としてとらえたときに、たとえばこの10年を振り返って、「いったい何がプラスで、何がマイナスだったのだろう」と考えてみる。商売であれば借金はマイナスということです。下手すれば倒産してしまいます。

自分のしてきたことの総ざらいチェックをする、**自分の日常や人生に対する評価をしてみる**ことは、とても大事なことになります。

自分の総チェックをしないでいると
ずぶずぶと人生の道が狭くなってしまう

自分の人生の棚卸し、総チェックをしてみると、「これはまずいことだったなあ」とか、「いまこれやっているのはいけないな」とか、そういうことがわかってきます。

テレビ番組の『しくじり先生 俺みたいになるな!!』のように、後になってしくじったことに気がつくことが、ときどきあります。たとえば、あのときは賭け事にほんとうに夢中になってしまい、お金を全部使い果たして人に借金し、あげくは会社の金も使い込んでしまった、といったことがあります。依存症みたいなものですね。

こういう失敗が起こるのは、自分で自分をチェックしていないため、そのままずぶずぶと泥沼に入っていってしまうからです。「ここで受験勉強をしておかなければ」というときにだらだらとサボってしまうと、そこで人生の道が狭くなってしまいます。

「**いまやるべきことは何か**」「**いまやっていることでいいのか**」と、生きていくうえでは、こうしたチェックが大事になります。

4－5

信じる、信じないをどうやって決めるか

「信の世界に偽詐多く、疑ひの世界に真理多し。」

「人事の進歩して真理に達するの路は、ただ異説争論の際にまぎるの一法あるのみ。」

「事物の軽々信ずべからざることはたして是ならば、またこれを軽々疑ふべからず。この信疑の際に就き、必ず取捨の明なかるべからず。けだし学問の要は、この明智を明らかにするにあるものならん。」（第十五編）

現代語訳

信じることには偽りが多く、疑うことには真理が多い。

社会が進歩して真理に到達するには、この異論を出して議論する以上の方法はないのだ。

物事を軽々しく信じてはいけないのならば、またこれを軽々しく疑うのもいけない。信じる、疑うということについては、取捨選択のための判断力が必要なのだ。学問というのは、この判断力を確立するためにあるのではないだろうか。

あっさりと人や物事を信じてはいけないまず、ほんとうかどうか疑ってみることだ

「信の世界に偽詐多く、疑ひの世界に真理多し」これは格言みたいで、覚えやすいですね。

信じすぎるとかえって騙されてしまう。頭から信じるのではなく、いろいろなことを疑いなさい。疑うことによって真理が得られるのだ、ということです。

この世の中には、真理というものに出会うことが少なくて、意外に誤りが多いようです。

「フェイクニュース」などといいますが、いろいろな意見があっても、そのほとんどが根拠なく適当にいっていることが多いのですね。オレオレ詐欺のように、人を騙す人さえいます。

性善説的に、人のいうことは信じるのが大事だ、となんとなく思っている人が多いのではないでしょうか。ところが、これは逆に「ほとんどのことを、**まず疑ってかかろう、そのほうが真理は見つかるよ**」という提案なのです。

正しいものを選び出したからといって その選択だけにしがみついてはいけない

「人事の進歩して……」以下については、「まぎる」は、「波間を乗り切る」といった意味です。いろいろな議論を戦わせる、その議論の波を乗り切っていくことによって真理を獲得せよということです。

「事物の軽々(けいけい)信ずべからざる……」これは、信じるものと疑うものを、あやふやにするのではなく、それぞれしっかりと取捨選択する。学問はその取捨を明快にするのが要点だ、と学問の役割を指摘しています。

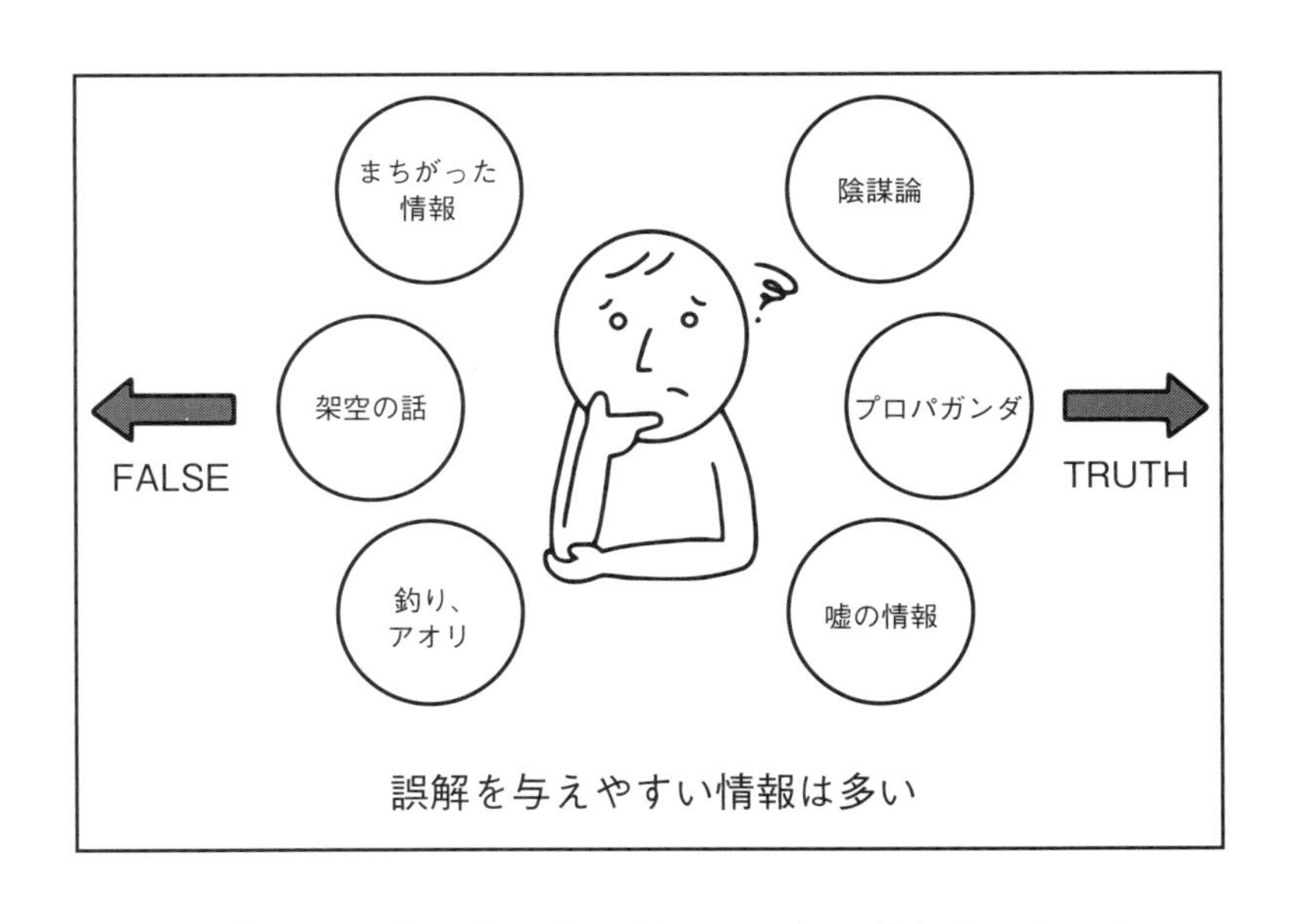

続けて福澤は、日本では開国以来、政府もさまざまな改革やインフラの整備をして成功してきたが、それは数千年来の習慣を疑ってみたからである。しかし、**何を取り入れて何を捨てるかの取捨選択を間違えてはいけない、**と注意しています。

以前は「旧習」、昔の風習を信じてそれ一辺倒となり、日本の伝統的な事物しか受け入れなかった。今度は文明開化で、西洋がよいとなると「100パーセント西洋」状態となってしまうが、それはどうだろうか。

江戸時代までのことは全部いけないという極端な行き方では、取捨選択というものがない。「オール・オア・ナッシング」ですね。そういう考えはよくないという警告です。

4－6

物やお金に支配されないようにしよう

「産を立つるは一身の独立を求むるの基なりとて心身を労しながら、その家産を処置するの際に、かへつて家産のために制せられて、独立の精神を失ひ尽くすとは、まさにこれを求むるの術をもつてこれを失ふものなり。（……）ただ銭を用ふるの法を工夫し、銭を制して銭に制せられず、毫も精神の独立を害することなからんを欲するのみ。」（第十六編）

現代語訳

財産を作るのは、一身独立のための基礎になる、といって心身ともに苦労しながら、その財産を使うに際してはかえってその財産に支配されて、独立の精神を完全に失ってしまうとは、独立を求める手段によって独立そのものを失ったといえる。……金の使い方を工夫し、金を制して金に制せられず、精神の独立を少しでも損なうことがないように、と思って以上のようにいう次第だ。

お金は、上手にコントロールしてお金に振り回されないようにしよう

これは財産と精神の独立の話です。一身の独立を求めようと財産を作ったが、その財産を使うときに、かえって財産に振り回されて、精神の独立を失ってしまってはしょうがない、ということです。

「**銭を制して銭に制せられず**」。格言のようで、とてもいい言葉ですね。

お金は大事だから、お金を上手に使う方法を工夫する必要がある。お金を上手にコントロールできるからこそ、お金に縛られないですむのだ、ということです。

精神の独立と経済の独立ということについては、**経済的な独立をうまく獲得し、同時に精神の独立も進めていく**、という両輪で考えるのが適切ではないかと思います。

いまの時代では、出家して良寛のように托鉢して暮らす、というわけにもいきませんので、それなりに経済的な独立も進め、同時に精神的にも独立していくことを目標にしたいですね。

ある程度、経済的に安定していることは精神的に独立するうえで大切なことだ

「お金が足りるだろうか」「お金さえあれば」「お金がほしい」などと、何かするときには、まずお金のことを考えてしまいがちですけれども、お金をコントロールしてお金に縛られないようにして、生きていきたいものです。それには、定職をもつとか定収入があることは、非常に安心感がありますね。

会社でいえば終身雇用があることによって、一応、生涯のプランが成り立ちます。するとお

精神と経済の独立は両輪である

金を借りて家を建てても大丈夫、結婚しても大丈夫、となる。

ところが、会社に終身雇用的な制度がなくなってくると、結婚もしづらくなってしまいます。そのように、経済面で、ある程度の安心感というものが、精神の独立にもよい影響を与えるのだと思います。

年収200万、300万円の人が多くなってしまった現在の状況では、精神の独立を保ちづらくなる場合もありうると思います。経済の独立なくして精神の独立というのは、けっこうむずかしいのではないでしょうか。そうすると、現在の日本の社会のあり方はこれでいいのか、といった問題も出てきますね。

4－7

思考と行動が食い違わないようにしよう

「第一　人の働きには、大小軽重の別あり。（……）これを弁別せしむるものは何ぞや。本人の心なり、また志なり。かかる心志ある人を名づけて心事高尚なる人物といふ。」

「第四（……）心事のみ高尚遠大にして、事実の働きなきも、またはなはだ不都合なるものなり。（……）これをたとへば、石の地蔵に飛脚の魂を入れたるがごとく、中風の患者に神経の穎敏(えいびん)を増したるがごとし。」（第十六編）

現代語訳

第一に、人の働きには、大小軽重の区別がある。……この区別の基準となるものは何であろうか。本人の心であり、また志である。このような心と志をもつ者を、名づけて「心が高尚な人」という。

第四に……心だけが高尚遠大で、実際の働きがないというのも、またたいへん不都合なものである。……たとえていえば、石の地蔵の中に飛脚の魂を入れ、脳出血で動けない患者が神経だけ鋭敏になったようなもので（ある。）

志をもって仕事にあたれば高尚な心をもつ人となれる

福澤諭吉は第十六編で、いうことと行うことのバランスをとろうと、四つに分けた提言をしています。

「第一」では、人の働きには、百姓とか役者とか学者とか、いろいろあるけれども、それを区別するものは「本人の心なり、また志なり」で、何事においても志が必要なのだ。さらに、人の心は、高尚でなければならない。そうでないと、働きもまた高尚ではなくなる、といいます。どんな種類の仕事でも、その人の志によってまったく変わってしまうのですね。

「第二」では、世の中にはむずかしいことはいろいろあるけれども、むずかしいからといって役に立つとは限らない、ということを述べています。福澤はここで囲碁や将棋を例に挙げて、そうしたものも、それなりにむずかしいものである。それがどのくらい有用かというと、天文・地理とか数学などの学問・研究のほうが、やはり役に立つ度合いが大きいだろう。そこで**有用無用かをよく見届けて、有用なものを選択すべきだ**、と勧めています。どうもここは将棋や囲碁のファンには怒られそうなところですね。

よい考えをもっていても、口ばかり達者で体が動かないのは、何の役にも立たない

「第三」は、人の働きには規則があるべきで、場所と時節を考えなければいけない。ただ活発に働くだけでは、蒸気だけでそれを活かす機関がなかったり、船に舵がないのと同じことだ。ルールというものをきちんとわきまえておこう、と提案しています。

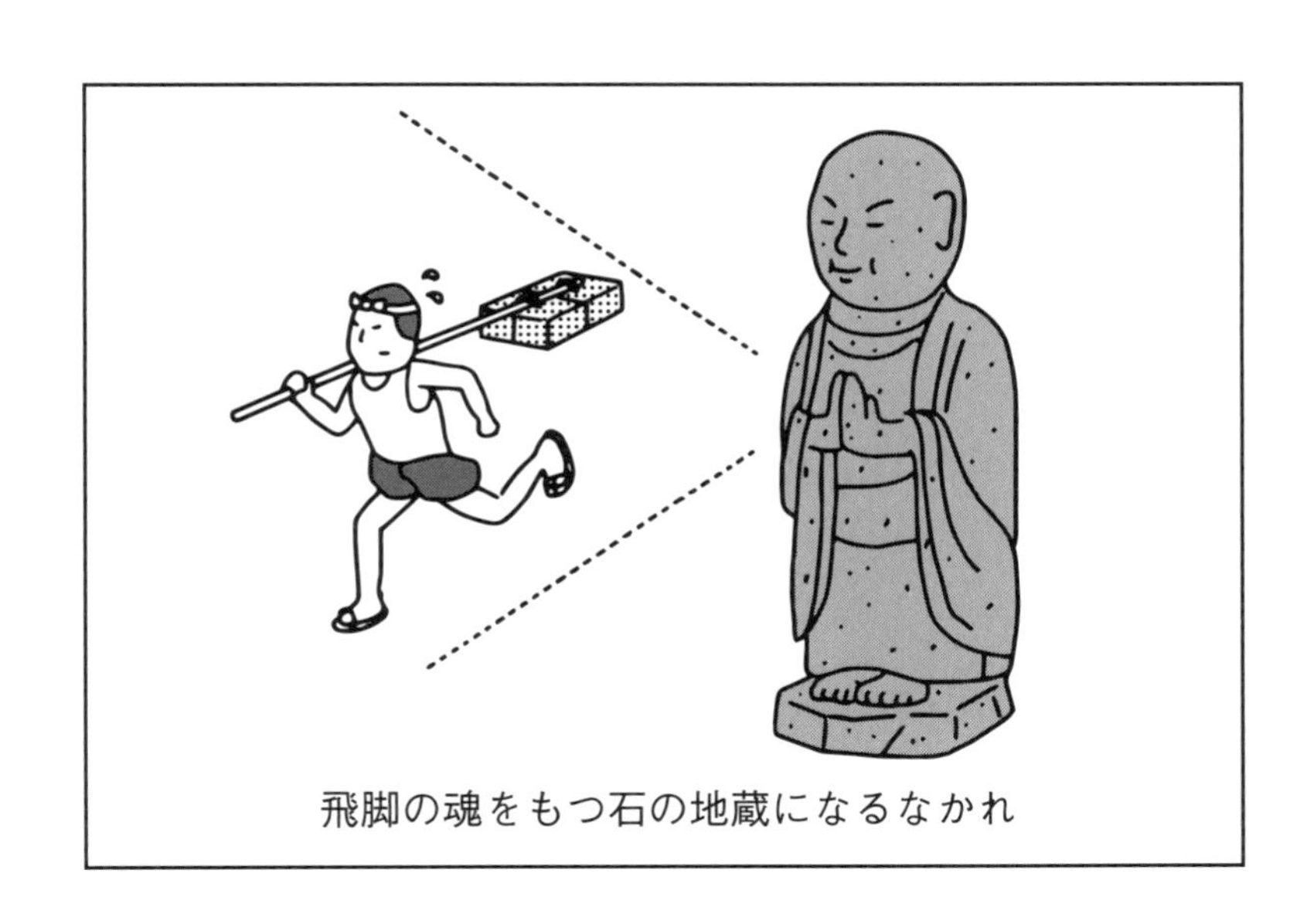

飛脚の魂をもつ石の地蔵になるなかれ

たとえば道徳の説法というものはありがたいが、宴会の最中に突然それを唱えると、おかしなことになってしまう、といった例を挙げています。何事も場所と時とをわきまえてするのが重要で、ただ活発で元気がよければいいというわけではないのだ、という話です。

「第四」は、考えとか口ばかりは高尚なのだけれども、働かない、役に立たないのも不都合だ。そうした例として「石の地蔵に飛脚の魂を入れたるがごとく」これはちょっとおもしろい表現ですね。「走りたい、走りたい！」といっているけれど、一向に動けない。

いちばん優れているのは行動が活発であって、なお識見、考えも高いということですね。

4－8

人を非難する前に自分でやってみよう

「人の仕事を見て心に不満足なりと思はば、自らその事を執(と)りて、これを試(こころ)むべし。人の商売を見て拙なりと思はば、自らその商売に当たりてこれを試むべし。(……)至大のことより至細のことに至るまで、他人の働きに喙(くちばし)を入れんと欲せば、試みに身をその働きの地位に置きて、躬(み)みづから顧みざるべからず。」(第十六編)

現代語訳

他人の仕事を見て物足りないなあ、と思えば、自分でその仕事を引き受けて、試しにやってみるのがよい。他人の商売を見て、下手だなあ、と思えば、自分でその商売を試してみるのがよい。……非常に大きなことからとても細かいことまで、他人の働きに口を出そうとするならば、試しに自分をその働きの立場に置いて、そこで反省してみなければいけない。

人のすることを、あれこれいう前に同じことを自分でもやってみてはどうか

人の商売を見て「下手だなあ」と思ったら、自分でその商売をやってみることだ。人の書いた本を評するときも、自分で本を書いてみること。また医者を評するときも、自分で医者になってみること。大きいことから小さいことに至るまで、「人のやっていることを評するのならば、自分でやってみないとわからないよ」ということですね。

自分とは職業がまったく異なる場合には、その職業の難易や軽重を計って判断しなさい。きちんと比較すれば、「**どの世界でも、それぞれのたいへんさがあるのだな**」とわかるはずだ、ということです。

いくら下手だからといって心ないコメントで人を傷つけないように

最近はインターネットの世界でも、自分のことは棚に上げて、人のことを非難して滅多打ちにしてしまう、という例もけっこうあるようです。ＹｏｕＴｕｂｅなどで、「歌ってみた」といった動画があるとします。すると、「全然上手くもないくせに」とか、「音程外しまくり」とか、とてもひどいコメントを書いてくる人もいます。

せっかく、自分のちょっとした楽しみや、身近な人たちを楽しませようと思って、絵や歌をアップしたのに、全然関係ない人が、「こんな下手くそなの、どうしようもない」なんて、叩き潰すようなことをいう。それは実によくないことです。

これは福澤であれば、「そんなことをいう前に、まず自分が歌ってアップしてみなさい」と

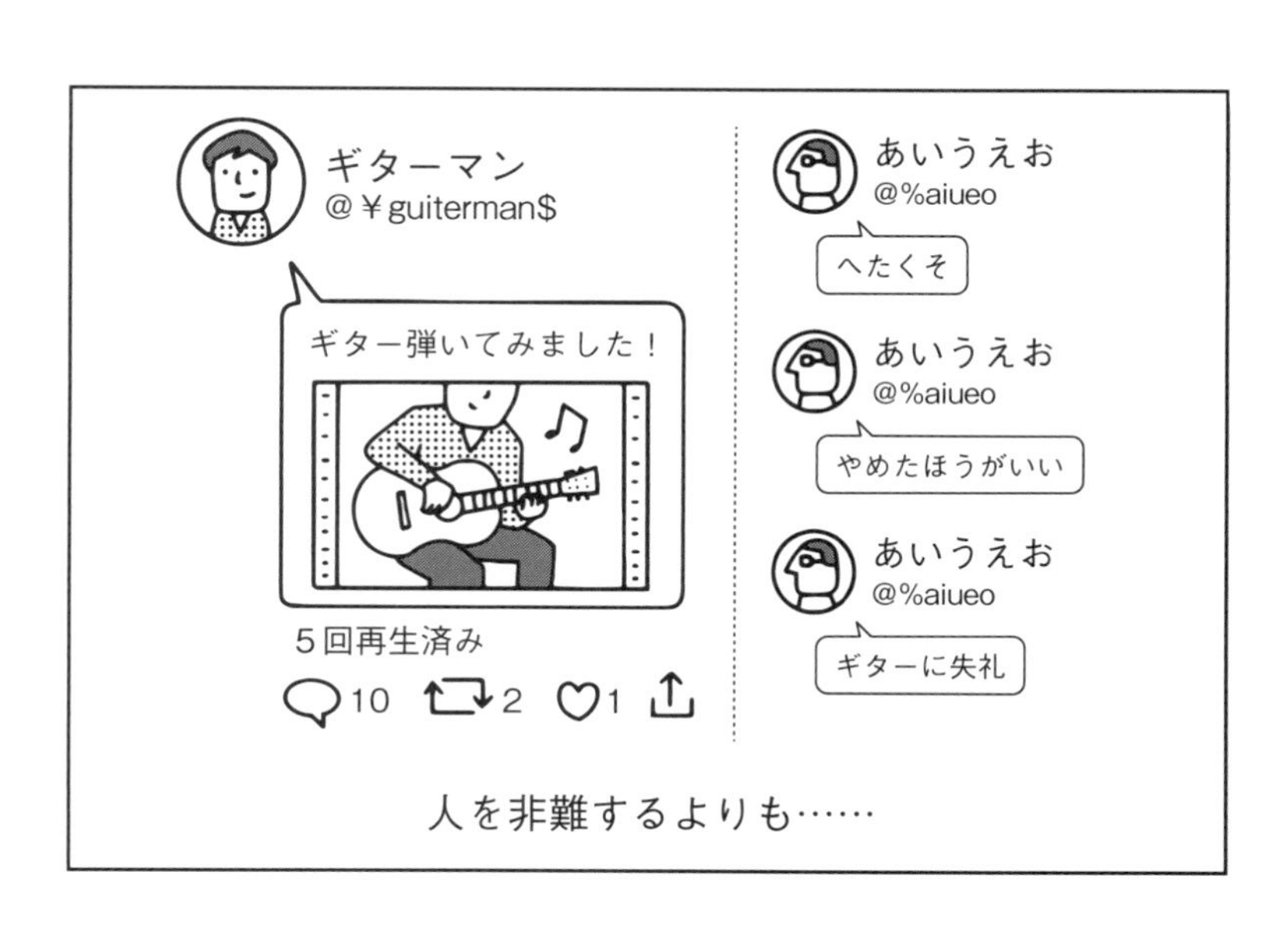

いうことでしょう。そうすると、たいていの場合、自分だってひどい結果になりますよね。「それなりにたいへんなんだな」とわかるでしょう。

お互いに自分がやってみて、たいへんさを知るということが、大切なのだということです。人の仕事ぶりを見て不満があるのだったら、まず自分がやってみる。この「自分でもやってみる」というところは、とてもわかりやすく説得力のある方法だと思います。

福澤諭吉は行動の人です。自分は実際にやりもしないで批判ばかりしている人は、好きではありません。

4－9

人と広く交際するようにしよう

「人に交はらんとするには、ただに旧友を忘れざるのみならず、兼ねてまた新友を求めざるべからず。（……）試みに思へ、世間の士君子、一旦の偶然に人に遭うて、生涯の親友たる者あるにあらずや。十人に遭うて一人の偶然に当たらば、二十人に接して二人の偶然を得べし。（……）人類多しといへども、鬼にもあらず、蛇にもあらず、（……）恐れ憚るところなく、心事を丸出しにして、颯々と応接すべし。（……）人にして人を毛嫌ひするなかれ。」（第十七編）

現代語訳

人と交際しようと思えば、ただ旧友とのつきあいを忘れないだけでなく、さらに新しい友人を求めなくてはならない。……考えてもみよう。偶然に会った人物と生涯の親友になった者がいるではないか。十人に会って偶然一人に当たったならば、二十人と会えば偶然二人を得るだろう。……人間多しといっても、鬼でも蛇でもないのだ。……恐れたり遠慮したりすることなく、自分の心をさらけ出して、さくさくとおつきあいしていこうではないか。……人間のくせに、人間を毛嫌いするのはよろしくない。

世界は広くて、いろいろな人がさまざまな活動をしている そうした大勢の人たちと、心を開いて知り合いになろう

人と交際するには、ただ古い友人を忘れないだけでなく、「新友」、新しい友人も作らなければいけない。いまでは「旧友」ということはありますが、「新友」とはいいませんね。でも、「旧友」と同じように「新友」という言葉もあっていいのでは、と思います。

「十人に遭うて……」は、10人に会って、偶然に一人の親友ができるのであれば、20人に接

すれば、二人の親友ができるだろう。これは「新しい友を求めなさい」という話です。

そして「人類多しといへども……」では、人間だって鬼や蛇じゃないのだから、さっさと交際をしよう。書画の友とか、碁や将棋の相手とか、茶飲み友達とか、あるいは腕相撲の相手など、さまざまな方面にいろいろな友達があるのはたいへんいいことだ。**世界は広くて、人にはいろいろな縁があり、人はそれぞれいろいろなことをしているのだから、恐れることなく、心を開いて世間の交際を活発にしなさい**、と勧めています。

人とつきあうときは、明るく快活な顔をしよう
お互いに人と人なのだから、嫌うのはおかしい

福澤はまた、人というものは、見た目を快活に明るくしていることが大切で、そうしないとすぐ人に嫌がられてしまう。人と交際するときには、明るく上機嫌にするように心がけなさい、という忠告もしています。

古い日本の男は、何か無口だったり不機嫌そうにしていたり、偉そうにしていたかもしれませんが、それではいけない、努めて明るい快活な顔をしなさい、と勧めているのです。

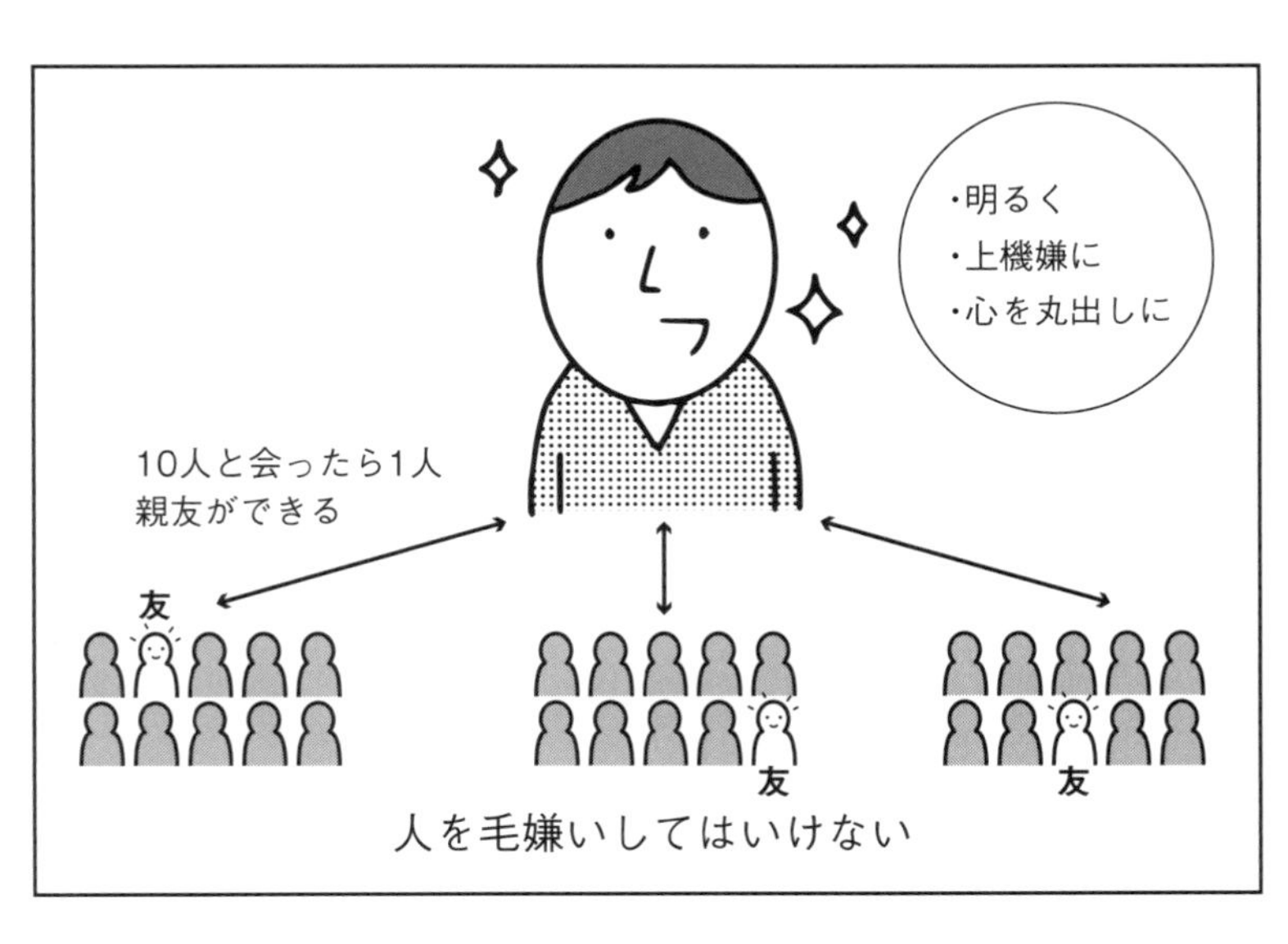

福澤諭吉は明治時代の人ですが、このころから、そういった明るい快活な表情が大事だ、といっています。これは人と人のつきあいではとても大事なことですね。

福澤諭吉の『学問のすすめ』は、最後に「**人にして人を毛嫌ひするなかれ**」という文章で全体を締めくくっています。これはなかなかの名文です。よく覚えておきましょう。

ときどき、「人間嫌い」という人もいますが、人間に生まれたのだから、どうしたって人間を嫌うのはおかしいだろう、ということですね。たいへん元気の出る言葉です。

このように福澤諭吉という人間は、明るくカラリと晴れた性格で、すべて前向きに生きた人だったのです。

コラム

齋藤孝からの「学問のすすめ」　4

■嫉妬から解放されるコツを教えましょう

現在では、インターネットなどいろいろな技術が発達しており、また社会変動も激しいので、妬み嫉みなどいろいろな恨み、怨望が、社会的な攻撃の武器になってしまう時代です。ですから、こうした怨望から心を離すことができれば、とても楽になるのではと思います。

妬みの感情から逃れるコツをひとつご紹介しましょう。それは、妬んでいる相手の人を、逆に褒めてしまうのです。すると急に気が楽になります。

女性にすごくモテているのでどうも気に入らない、という人がいたら、「ああ、正直いってあいつはカッコいいからね、まあモテて当然だワ」というふうに思うと、その分だけ気が楽になるのですね。「なんだあいつ、大したこともないのに、努力もしていないのに、カッコばかりつけやがって」と思うよりも、「まあ、女だったらあいつのほうへ行くよな」と素直に認めると、ちょっと楽になる。羨みから離れることができます。

成功した人は羨ましいし、妬む気持ちも出てきがちですね。そうしたときは、「あの人も、あれだけの努力をしたのだから、もっともな結果だろう」とか、「このタイミングで、あれだけのリスクをおかしてやったのだから、当然だろうな」などと考えてみるのです。

ＹｏｕＴｕｂｅｒ（ユーチューバー）といって、ＹｏｕＴｕｂｅだけで成功して儲けている人がいますね。羨ましいと思うかもしれませんが、しかし、同じことを実際に自分でやるとなれば、それなりにいろいろ苦労があるわけです。自分でなかなかできないことをやっているのであれば、それは「批判したりけなしたりする対象にはならないな」というふうに、落ち着いて考えることができると、ストレスがずいぶん減るのではないでしょうか。

むしろ相手を称賛することによって、心の中の怨望を芽のうちに摘んで、楽になっていく。これはインターネット社会となったいまの世の中では、とても大事なことです。

また、ＳＮＳでも見られるように、いろいろな問題に対して、自分に直接関係ないことであっても、「ゆるせない」という人が増えていますね。正義感の皮をかぶった怨望、羨み、妬みが増えている気がします。

そうした妬む気持ちが、あまりにも強くなって、福澤諭吉が、「怨望ほど害のあるものはない」といっているにもかかわらず、社会の中で恨みや妬み、嫉妬心というものが膨れ上がってきている。気持ちよく日々を過ごすためにも、福澤諭吉の「怨望最大不徳説」は、なかなか傾聴すべきものではないかと思います。

■リベンジの行為に対しては、厳しく法律で規制しよう

いまの時代感覚では、誰かに仕返しをしたいと思うと、たとえばインターネットですごく嫌なことを書いたりします。書かれたほうも、相手にダメージを与えるようなことを書いてやり返す。そして、互いにリベンジの応酬がどんどん止まらなくなる、といったことがあります。

現在、こうしたネット上の誹謗中傷などを規制する法律がはっきりと機能していません。ですから、書き込まれっぱなしでは損をしてしまうので、言い合いが限りなく続く、という状態になる。これを防ぐには国法が機能しないといけません。

最近では、書き込んだ人が匿名でもそれが誰であるかを突き止める権利が、裁判で認められるようになりました。しかし、いままでネット上の誹謗中傷に関しては、解明や処理がとても面倒でした。中傷された側が自殺に追い込まれたケースさえあります。そういう悲劇が起こってしまった一因は、インターネットの発達に対して、法律の整備が出遅れていたことです。

法律の整備をするのは誰の役割かというと、それは国会の役割です。国会とは国民の代表で

すから、国会に対して人びとが声を上げていき、国会で法律を変えて、インターネットにおける誹謗中傷をコントロールしよう、という動きが出てきているわけです。

しかし、誹謗中傷をコントロールする際には、気をつけなければいけないことがあります。少しでも事実と違えば訴えられるとなるとどうでしょう。その事実がひとつではなく、ものの見方によっては別の事実もありうるわけです。そこで、マスコミが報道したことが事実と違うとされて、罰せられるとなると、政府批判もできにくくなる、という側面もでてきます。

つまり、言論の自由と誹謗中傷の規制の間をうまく調整していかなければならない。そういう意味では法律は、このへんが落としどころだと、みんなが納得できるような、非常に細やかなものであるべきですね。決して冷たいものではなくて、本来情の通ったものであるべきです。

■フランクリンが自分の棚卸しをした「13徳」

第一　節制　飽くほど食うなかれ。酔うまで飲むなかれ。

第二　沈黙　自他に益なきことを語るなかれ。駄弁を弄するなかれ。

第三　規律　物はすべて所を定めて置くべし。仕事はすべて時を定めてなすべし。

第四　決断　なすべきことをなさんと決心すべし。決心したることは必ず実行すべし。

第五　節約　自他に益なきことに金銭を費すなかれ。すなわち、浪費するなかれ。

第六　勤勉　時間を空費するなかれ。つねに何か益あることに従うべし。無用の行いはすべて断つべし。

第七　誠実　詐(いつわ)りを用いて人を害するなかれ。心事は無邪気に公正に保つべし。口に出(い)だすこともまた然(しか)るべし。

第八　正義　他人の利益を傷つけ、あるいは与うべきを与えずして人に損害を及ぼすべからず。

第九　中庸　極端を避くべし。たとえ不法を受け、憤りに値すと思うとも、激怒を慎しむべし。

第十　清潔　身体、衣服、住居に不潔を黙認すべからず。

第十一　平静　小事、日常茶飯事、または避けがたき出来事に平静を失うなかれ。

第十二　純潔　性交はもっぱら健康ないし子孫のためにのみ行い、これに耽りて頭脳を鈍らせ、身体を弱め、または自他の平安ないし信用を傷つけるがごときことあるべからず。

第十三　謙譲　イエスおよびソクラテスに見習うべし。

『フランクリン自伝』によると、フランクリンは、自分に必要で、また望ましいと思われた「13の徳」を表にしました。縦の欄には月曜から日曜までを入れ、横の欄には13の徳を並べます。そして、1週間にひとつの徳を課題として、それに厳重に注意するようにしたのです。

たとえば水曜日に節制できなかったことがあった場合、「節制」と水曜日の交点のマスに黒点を入れます。こうして1週間たって、「節制」の週が終わると2週目には次の「沈黙」に移るというように、13週間で全コースひと回りでき、1年でこれを4回繰り返すことができます。

そして黒点を減らす努力をしていくのです。

徳というものは、ふつうなんとなく身につけるもの、というふうに思いますが、フランクリンはそれを練習課題として、ひとつずつ実行しているのです。自分で達成しようとした徳が、自分の身についたかどうかを、自分でチェックする。これはなかなか素晴らしいものですね。福澤はフランクリンのことを深く理解しており、フランクリンの考え方は福澤と直接的なつながりがあると思います。

（岩波文庫『フランクリン自伝』松本慎一・西川正身訳）

あとがき —— 福沢諭吉と2020年代のリアル

1970年代の日本では、1億総中流といわれました。貧しかった階層がその貧しさから脱しました。所得税の最高税率は、かつて70%でした（現在は45%）。社会主義を目指す国の人たちが日本を見て、「社会主義が実現している」といったという話もあるほどでした。

この70年代の総中流意識に比べ、50年後の2020年では、そうした意識はありません。その間、日本では豊かさという点では、それほど決定的に低下したわけではないのですが、富の配分という点では、だいぶバラつきが出てしまっています。

そのひとつのきっかけとして、昭和60（1985）年の「労働者派遣法」があります。企業の雇用の調整弁として、正社員の首は切らずに、いつでもお払い箱にできる存在が派遣社員でした。これを正当化する理論として、これまでと違って変化していく経済状況に対応して、必要なところに必要な人材を流すという、人材の流動性の実現が唱えられました。大義名分としての人材派遣は、結果として正社員が減り、企業側には非常に都合のいい法律でした。

そして年収200～300万円台の人が増えてしまい、このような人たちの、特に男性には、結婚が考えられにくくなってきています。最近の調査でも、結婚を考えない人が激増しています。女性から見ても、こうした年収の男性とはあまりいっしょにはなりたくない人も多いわけです。結婚や家庭生活を、あらかじめあきらめざるをえない、そういうところに追い込まれている人が、人口のかなり多数を占めてきている、という現実があります。自己責任として片づけられるようなレベルではなく、日本の社会に構造変化が起きてしまった結果なのです。

いま40代後半の人たちは、第2次ベビーブーム世代です。そもそも非常に就職がむずかしかった世代で、ずっと正社員になれずに50歳を迎えようとしている人もいます。老後も不安定になっていかざるを得ません。

こうした世代が大量に生み出されることに対して、政府は手を打ち切れなかった。それは、実は、「福沢諭吉の考え方が浸透し切れていなかったからだ」と考えられます。新自由主義的な経済の考え方にも一理あるとは思いますが、この50年の変化を見ると、福沢の理念がほぼ実現されなかった50年、ということになるのかなと思います。

『学問のすすめ』はそんな現在に対して、一人ひとりが学問をして独立しようというメッセージを発しています。読むとその気概、心構えを学ぶことができ、自分の心持ちが鼓舞されます。そういう意味でも『学問のすすめ』は、１９７０年代よりも２０２０年代のリアルとして読むことができるといえるでしょう。

齋藤　孝（さいとう　たかし）

明治大学文学部教授。1960年静岡県生まれ。東京大学法学部卒業。同大学院教育学研究科博士課程を経て現職。専門は、教育学、身体論、コミュニケーション論。『図解　論語』（ウェッジ）、『1日1ページ、読むだけで身につく日本の教養365』（文響社）、『友だちってなんだろう？』（誠文堂新光社）等、著書多数

図解　学問のすすめ

カラリと晴れた生き方をしよう

2021年3月20日　第1刷発行

著　者　　齋藤　孝
発行者　　江尻　良
発行所　　株式会社ウェッジ
〒101-0052　東京都千代田区神田小川町1丁目3番1号
ＮＢＦ小川町ビルディング3階
電話 03-5280-0528　ＦＡＸ 03-5217-2661
https://www.wedge.co.jp/ 振替00162-2-410636
編集協力　青柳 亮（ラグタイム）
装丁·組版　佐々木博則
カバー・本文イラストレーション　大野文彰
印　刷　　株式会社 暁印刷

ISBN 978-4-86310-237-8 C0095